イギリス近代史講義

川北　稔

講談社現代新書

2070

プロローグ　歴史学は終わったのか

世界史などいらない？

最近、教科書出版社の人から、センター試験における世界史の受験者数が、地理に抜かれ、急激に減っていると聞きました。いまの中等教育では、世界史は中学校でまったく学ばないかわりに、高校で必修になっています。しかし、実際には世界史を履修させていなかったとして、大きな問題になったことがありました。この必修逃れの問題は一時的な騒動で終わりましたが、結局、世界史は受験に不利ということがあるのだと思います。必修逃れまではしなくても、とにかく最低限勉強しておけばいいだろうと考えられていて、受験生のあいだでは、かなり嫌がられている科目のひとつになっています。

大学で東洋史や西洋史を専攻する先生方は、このことをあまり気にしていないように見えますが、事はかなり深刻に思われます。受験に不利だからというので、受験者が減っているだけなら、たいした問題ではありません。しかし、実質的に外国史を学ぶ若者が減っていて、世界史など習わずに大人になっても大丈夫だという考え方が広がっているとすれば、問題の根は深いのではないでしょうか。

もっとも、最近、高校教科書の市販版がよく売れているという話もありますが、それはどうも、歴女ブーム、あるいはサラリーマン向けの戦国武将ものや大河ドラマの人気に、一部テレビのクイズ・ブームなどが重なった現象のようです。この小「ブーム」そのものは喜ばしいことのようでもありますが、この教科書が、「用語集」と称する棒暗記のための副読本とともに普及したことを考慮すれば、それが歴史学の復興をもたらすとは、思いにくい一面もあります。むしろ、日本人の歴史的思考の劣化を象徴する出来事のように思われるのです。

それより、二〇世紀の終わり頃のことですが、「学問の鉄人」と題する特集のために私に会いにきた編集者が、開口一番、「歴史学などというのは、もう終わっている分野でしょうけれど」と切りだされたことのほうが、いまだに深刻な印象となっています。

危機に立たされる歴史学

以来、さまざまな試みもなされてきましたし、私自身、それなりの実験もしてきたのですが、近年の歴史学は、いっそう「ひきこもり」の傾向が強く、社会に訴える力が弱まっているように思います。この背景には、歴史学のプロが社会で必要とされるような問題提起をしていない、専門家のあいだでだけ通用するような話題ばかり取り上げているということがあるのではないでしょうか。とくに西洋史の場合、西洋人のあいだで通用することに重きを置くようになってしまって、日本の一般の人にとってどういう意味があるのか、あまり考えてこなかった気がします。

私が大阪大学にいた最後の年に、いま総長になっている鷲田清一さんをトップにして、COE（Center of Excellence、卓越した研究拠点）で「インターフェイスの人文学」というプロジェクトを立ち上げました。私は一年関わっただけですが、そのときに歴史学の関係者は、インターフェイスの問題を、大学の歴史研究を社会一般にどのようにして広めていくか、つまりプロとアマチュアのあいだをどのようにしてつなぐかということを課題として考えることにしました。

そのために、いろいろな試みをして、評判はその後もよかったと聞いています。歴史学が必要とされるには、われわれの学問自体が、その課題のなかに社会の現状を組み入れないといけないのではないか。フランスでこういう歴史学がはやっているから日本でも取り入れる、という具合に西洋史研究がすすむと、一般の日本人にとっては、ほとんど関心のない話になってしまうのではないでしょうか。

いま、なぜ歴史学が危機に立たされているかと言えば、社会的に関心をよべる問題設定ができないというところに大きな理由があります。たとえば最近の日本の動きで言うと、小泉（純一郎）さんや竹中（平蔵）さんの改革の行きすぎが問題になりました。歴史的にも大きな動きでしたが、この問題にかんして、日本で歴史家が発言したということは聞きません。歴史学は現実の動きとはまったく無関係に研究されていて、現実から乖離《かいり》しているという印象を抱きました。

私がこういうことを言うのは、小泉改革の手本となったイギリスのサッチャー改革では、よかれ悪しかれ、イギリス経済の衰退をめぐる、長い、ホットな論争があったからです。しかも、歴史学は、私が「イギリス衰退論争」とよんでいるこの論争の中核にあったのです。しかし、日本の場合は、改革論争に歴史家が意見を聞かれることは、ほとんどありませんでした。残念なことに、わが国での歴史学の位置づけは、イギリスでのそれとはひどくちがっていたように思います。

日本の「失われた二〇年」とイギリス衰退論

しかし、西洋史という学問も、昔からそうだったのではありません。かつて、イギリスは日本人にとって、近代化と資本主義発展のモデルでした。日本の「戦後史学」とよばれたものは、そのような立場に立って、イギリス近世を描いてきました。だから、イギリス近世・近代史は、日本のおおかたの知識人の共通の関心事でもあったのです。

もっとも、この「問題意識」そのものが、あまりに長く持ちつづけられすぎたことが、その後の西洋史研究の悲劇でもありました。一九七〇年代はじめ、私は、はじめてイギリスで長期間研究生活を送りました。当時、日本ではなお、中流であるヨーマンが、ピューリタニズムの信仰によって独立不羈《どくりつふき》の精神を身につけ、禁欲・勤勉・合理主義を生活信条として、世界に冠たる工業国家をつくった、というイギリス近代史をバラ色にえがく、戦後の歴史学のイメージが幅をきかせていたのです。

ところが、じっさいに私が見たイギリスは、頻発するストライキと失業者の群れのイギリスであり、ロンドンの街頭は紙くずだらけで、子どものころに見た戦後の大阪にも似ていました。ロンドンでは、教科書で見た、白人のヨーマンとは似ても似つかないターバンを巻いた地下鉄の車掌さんもいれば、バスの車掌さんも、たいていは黒人でした。「戦後史学」のイギリス史には登場しない顔ぶればかりが目立ったのです。

私が最初に面会したロンドン大学歴史研究所の所長さんは、隣のＳＯＡＳ（東洋アフリカ学院）のほうを指しながら、「あちらのほうは、ブームだけれど、歴史ははやらないのでね」と微妙なコメントをされました。高度成長期に入った日本研究が盛んになっているわりに、経済不振に悩むイギリスの歴史研究は、前ほど人気がない、という意味だったと思います。

同じ年、北部の造船業の町ニューカースルで電車待ちをしていたときの想い出もあります。「なかなか来ないね」と、隣のおばさんに話しかけたら、「近頃のイギリスは何もかもが駄目で、それも日本にしてやられているからだ」と、いきなりくってかかられたのです。まったく思いがけない不意打ちだったので、とても驚きました。この経験は、あとで触れるタイプ印刷の研究集団誌『イギリス史研究』に、ロンドンからの報告として載せたくらいです。

つまり、この時点で、すでに、失業とストライキの「イギリス病」に取り憑かれていた現実のイギリスでは、多くの人が、ドイツ、アメリカはもとより、日本にも追い抜かれたと感じていたのです。こうして、日本のイギリス史研究者が、なお、「イギリスはなぜ世界で最初に工業化できたのか」を問い、イギリスの経済発展をモデルと考えていたのに、イギリスでは「衰退論」が活発に展開されるようになっていたのです。私自身、イギリス人の研究者には、しばしば、「経済成長のモデルは、日本だろう」と言われたものです。日本は、すでに高度成長期に突入していたのですが、それでも、日本人歴史家のイギリス観は急には転換できず、長いあいだ、あいかわらず、経済発展の典型というイメージから離れられませんでした。だから、イギリスで広がっていた「衰退論」を前提とする歴史学などは、顧みられなかったのです。

しかし、現実は、もう一度転換しました。日本が「失われた一〇年」どころか、「失われた二〇年」を経験しつつあるいま、私たちが、イギリス社会経済史から学ぶべきは、「なぜイギリスが成功したのか」ということと同時に、「イギリス衰退論」とそのゆくえでもあるはずです。

歴史学には、たとえば古代エジプトやインカ帝国の発掘など、現実の動きとはまったく関係のない要素があることはもちろん事実です。ただ多くの場合は、現実の問題に関わって研究しなければなりません。そうだとすると、最近の歴史学研究は、現実からずれすぎているという印象を抱いています。

現実に向き合う歴史——本書の立場

では、どういう歴史学が現実と向き合えるのか。ひとつは、普通の人間の生活感覚に根ざした問題に取り組まないといけないということです。さらに言えば、その評価はひとまずおくとして、小泉改革で強く実感させられたことは、グローバリゼーションという現実です。グローバリゼーションにどう対応するかという問題を考えるために、人びとの生活の具体的なあり方と、世界的なつながりの二つをうまく組み合わせていかないと、現在の人間にとって面白い歴史にはならないように思います。

さらに、資源・環境問題も深刻になっていますが、これはグローバリゼーションと深い関係があります。世界は一体になり、もうこれ以上は拡大しえないというところにきています。そのことが資源問題、環境問題を深刻にしているのです。近代世界が急速に広がってきたというのは、一種の経済成長、あるいは開発、進歩というものを達成してきたからなのですが、近年行き詰まりを見せていることは明白です。

そういうことをすべて包括して考えると、結局、「地球は一体である」ということの結果として、資源・環境問題があり、この根本には、進歩とは何なのか、経済成長とは何なのか、という問題があると思うのです。むろん、こういった問題に対しては、いままでの歴史学にも考えるヒントはたくさんあります。イギリス史にひきつけると、一九六〇年代の終わりごろから盛んになった、広く社会史と言われる分野があります。

私はかねてより、家族史と人口史、都市の問題、とくに都市における庶民生活の問題など、社会史の範疇《はんちゅう》に入るものと、世界システム論のようなものを組み合わせていくと、少し面白い歴史を書くことができるのではないかと考えています。世界各地の庶民生活が、世界システムの作用をつうじていかに結びつき、今日の状況をつくりだしているのか、これが私の構想する歴史学の基本課題です。

イギリス経済の「勃興」と「衰退」

私が歴史の研究をはじめたころは、「現在は、工業化社会である」と言っていました。私も工業化の社会・経済史的な前提条件を主に考えてきました。しかし現在は、工業化よりも、情報や金融が問題になっています。工業化から脱工業化へと、世界史の頁が一枚めくられたようにとらえる人もあります。製造工業よりは、金融と情報をはじめとする第三次産業が中心になっていくという考えが、一般的になりつつあると言えるのでしょう。

しかし、私自身は、じつは現代社会も広い意味では、工業化の時代にあると考えています。情報化という側面はたしかにあります。情報で儲《もう》かるということはありますが、情報は食べられませんし、着ることもできません。インターネットで何かを取り寄せることはできるけれども、その何かを誰かがつくらなければ、取り寄せることはできません。

その意味で、広く工業化時代というのがあって、その後半に、工業化に上乗せされるかたちで情報の問題が出てきた。金融の問題も同じではないか、と考えているわけです。この本が、製造工業という第二次産業の展開と、情報や金融という第三次産業の関係——というより、その相克と言うべきでしょうか——を軸に、近世・近代のイギリス史を概観しようとしているのは、このためです。それはまた、イギリス経済の「勃興」と「衰退」の歴史でもあります。

二一世紀のいまとなっては、単なる成功物語としてのイギリス産業革命論はありえません。反対に、かつてこの国が「世界の工場」であったことを無視して、「衰退論」を闘わせることも意味がありません。この二つの現象を同時にみる視点こそが大切なのです。

目次

プロローグ　歴史学は終わったのか……3
世界史などいらない？／危機に立たされる歴史学／日本の「失われた二〇年」とイギリス衰退論／現実に向き合う歴史──本書の立場／イギリス経済の「勃興」と「衰退」

第一章　都市の生活文化はいかにして成立したか──歴史の見方……17
君は童謡「赤とんぼ」を知っているか／ダイオス現象──近・現代都市研究のはじまり／「都市」と「都会」──匿名社会としての「都会」／家族とライフサイクル／近世イギリスの家族の特徴／晩婚の社会──「一五で『ねえや』は嫁に」行かなかったイギリス／救貧法はなぜ必要になったのか──福祉国家の淵源／首都ロンドンへ向かう若者たち／ジェントルマン、レディとは何か／「ロンドンでは、人は身なりで判断されます」／外見の時代／ファッションのはじまり／不況に勝てなかった「ぜいたく禁止法」／需要が引っ張る経済成長／近世都市におけるステイタス／都市上流層の社交／「社交季節」の経済的意味／「都会」と「田舎」／近世都市の諸類型／それぞれの時代のニュータウン／「楽しく、美しい」近世都市／都市化と経済成長

第二章　「成長パラノイア」の起源　83
現代の病「成長パラノイア」／昼寝と残業のどちらをえらびますか／主権国家のあいだの経済競争／ヨーロッパの対外進出／博物学と政治算術――近世の学／ロンドンとはどこのことか／「政治算術」の成立／グレゴリ・キングのイギリス――貧民社会／「イギリスの人口は減少している」――人口論争／時系列統計の作成／政治算術がもたらしたこと

第三章　ヨーロッパ世界システムの拡大とイギリス　115
中世とも近代ともちがう時代／近世人の発想――領土と時間と国力／地球は誰のものか――領有権の問題／「先に旗を立てた者の勝ち」／膨張するヨーロッパ世界システム、ひきこもる中華帝国／関西弁はなぜ消えないのか――世界システム論の論理／砂糖と煙草／モノからみた世界システム／イギリスが「帝国」であったことの意味／虚構設定の経済史／植民地保有の社会的意味／ジェントルマン支配の安全弁としての植民地／ジェントルマン支配の安定装置／帝国支配の遺産――英語の経済的価値

第四章　世界で最初の工業化――なぜイギリスが最初だったのか――157
需要から産業革命を見る／マーケティング上手の東インド会社／輸入代替過程としての産業革命／エリック・ウィリアムズのテーゼ／産業革命の資金源／製造工業を支援しないシティ――イギリス経済構造の二重性／パートナーシップで事足りた創業資金／社会的間接資本の問題／プライヴェイト・アクトの世界／『嵐が丘』の結婚――継承財産設定／産業革命研究が福祉国家への道を用意した／新自由主義につながっていく産業革命論／決着しない論争／実質賃金は計算できるか／誰が買ったのか――需要の問題／女性と子どもの雇用／変容する家族／衣服はどこでつくられたのか――ロンドンの産業革命／港がスラムを生んだ／ダイオスのスラム研究――鉄道がつくったスラム／移民たちとスラム／アメリカとドイツの台頭――第二次産業革命

第五章　イギリス衰退論争――陽はまた昇ったのか――221
「ドイツの脅威」／福祉国家への道／本格的衰退論の出現／スエズ撤退――対外プレゼンスの縮小／帝国は拡大しすぎていたのか――経済の二重構造／「早すぎたブルジョワ革命」／「早すぎた産業革命」／『英国産業精神の衰退』――衰退論のピーク／『衰

退しない大英帝国』――ルービンステインのウィーナー批判／サッチャー改革とは何だったのか／「衰退」はまぼろしだったのか／「衰退感」／歴史における「衰退」とは何か

イギリスは「衰退」したのか――基礎データ 252

エピローグ　近代世界の歴史像 257

「田舎」と「都会」という問題／世界最初の工業化はなぜイギリスだったのか／産業革命の故郷と「イギリス病」／実体経済とヴァーチャル経済

さらに学びたい人のために 265

第一章　都市の生活文化はいかにして成立したか
――歴史の見方

君は童謡「赤とんぼ」を知っているか

大学の授業で学生たちに童謡の話をすることがあります。われわれにとってなれ親しんだ童謡でも、最近の学生にはよくわからないことが多いようです。

たとえば、「赤とんぼ」という歌があります。この歌はいまの学生にはとても難しいようです。「夕焼け小焼けの赤とんぼ」はいいのですが、「負われてみたのは」、というのを赤とんぼに追いかけられたと考える学生が少なくありません。「負われる」という言葉が、おんぶという言葉に変わってしまっていて、いまではあまり使われないからです。赤とんぼに追いかけられたら、ずいぶん怖い話になりますが、現在の社会では、赤ちゃんをおんぶして育てるということも、以前ほど多くないですから、「負う」という動詞が受け身になっていると、なかなか理解できないのです。

ところで、この童謡の三番の歌詞に、「一五でねえやは嫁にいき」とあります。そもそも、「ねえや」はお手伝いさんのことですが、この「ねえや」を姉のことだと思っている人が断然多い。作詞家の姉さんが一五歳で嫁に行ったと考えてしまう。さらに、この一五歳は数え年だよというと、数え年とは何かがわからない。大晦日に生まれた人は、元旦には二歳になるというと、不思議な顔をします。一五で、というのは満年齢でいえば一三か一四歳で嫁に行くということです。かつて、中学生が妊娠して大騒ぎになるというテレビドラマがありましたが、戦前の日本ではそれは珍しいことでもなかったのです。しかし、これがイギリスであれば、一六世紀か一七世紀ごろであっても、深刻な問題になったかもしれません。というのは、そのころでもイギリスでは、二〇歳代半ばくらいにならないと結婚をしないのが、男女ともにふつうだったからです。そこにイギリス社会の特徴があったのです。

と同時に、「赤とんぼ」の世界は圧倒的に農村的な世界です。一七世紀のイギリス人は、おおむね四人のうち三人までが農村の住民でした。しかし、一九世紀中ごろ、ヴィクトリア女王の支配した時代には、逆に、四人のうち三人が「都市」とされる地域に住むようになりました。近世・近代期の社会史の最大のトピックスのひとつは、都市化ということなのです。

ダイオス現象——近・現代都市研究のはじまり

一八世紀から現在にいたる工業化の時代全体を通して、はっきりとしていることは、われわれの生活環境が、圧倒的に都市的になってきたということです。というより、工業化の流れを生活の側面から見ると、近世から現代までを一貫している都市化の過程が見えます。

都市の歴史というのは、私が歴史の研究をはじめたころには、ほぼ中世都市の研究のことでした。中世都市は、封建社会のなかで自由、自治のあるところで、近代の自由、自治の起源であると言われてきました。したがって当時は、近世以降の都市については、本格的な研究はされていませんでした。

近・現代都市の研究が歴史学の一部でありうるばかりか、他の多くの分野にとっても、非常に重要だと強く言いだしたのは、イギリス・レスター大学の教授だったH・J・ダイオス（Harold James Dyos）です。

彼は一九六〇年代に都市史学会をつくりますが、その結果、ダイオス革命とか、ダイオス現象と言われる動きが起こりました。彼のグループは、初期にはタイプ印刷で、報告のペーパーをつくっていまして、私もそれを持っています。日本ではこの学会を紹介したのが、中世史の研究者だったこともあり、伝統的な中世都市研究と混同されたりして、多少の行きちがいがありましたが、ほんらい、彼のグループの目的は、近・現代の都市の歴史を総合的に研究し、現在の都市問題の歴史的起源を探るというようなものでした。そこから、たとえば都市のスラムの問題など、新しい研究が出てきました。

この動きに触発されて、現代の都市がどのように発達してきたのか、そして人びとの生活がどういうものであるのか、ということに私は関心を抱いてきました。それで非常に早い時期に、京都でも「イギリス都市生活史研究会」をつくって、本を出したりしました。それまでの日本の歴史学は、ほとんど農村共同体の研究でしたが、事情はイギリスでも同じようなことで、戦後の歴史学では、有名なR・H・トーニー（Richard Henry Tawney）の研究は農村の地主が中心でした。これに対して、ロンドン大学で彼の後継者になったF・J・フィッシャー（Frederick Jack Fisher）は、ロンドン史、それも開発論的なロンドン史になっているのが特徴です。私も、若いときから、都市史のほうに関心がありました。

「都市」と「都会」——匿名社会としての「都会」

ただし、都市とは何だろうかと考えると、じつは難しい。このような研究をはじめたころに、京都大学の人文科学研究所で、都市とは何かという議論をしたことがあります。映画館のあるところ、パチンコ屋があるところなど、いろいろ意見が出たのですが、あまりよくわからない。人がある程度集まったところが都市ではあるのですが、それでも中世都市は、法的な定義がいろいろあって難しく、いわゆる特権都市と、そうではない、ただ人が集まっているだけのところなどがあります。しかし、われわれはあまり難しいことは言わずに、ふつうにここは都市だと思うとか、ここは田舎だろうなどと言っています。とすると、そのちがいはどこにあるのか、そういったことを突きつめて、私が行き着いたのは、「匿名性」ということです。この言葉をキーワードにして議論をしてみたいと思います。

京都の繁華街、四条河原町に立っていると、たくさんの人が通りますが、ほとんどは見知らぬ人です。京都駅で見ていても、こんなに人がいるのかというくらい人が湧いてくるけれども、知らない人ばかりです。向こうから来る人をほとんど知っているというのは、都会とは言わないでしょう。

文化的な雰囲気を伝えるには、都市と言うよりも、都会としたほうがわかりやすいかもしれません。それからすると、中世都市はあるけれども、中世には都会はあまりありません。極端に言ってしまえば、中世都市とよんでいるものは、だいたいが顔見知りの世界です。他方、現代都市と言えるものは、ほとんど顔を知らない世界です。そういう現代都市につながっていく匿名性の高い都会というものは、どこから出てくるのか。

イギリスの歴史では、あきらかに一六世紀のロンドンで発生しています。世界のなかでもかなり早いほうでしょう。江戸や大坂が徳川時代にどうだったのか、考えのおよばないところがありますが、一六世紀のロンドンはあきらかに「都会」になっています。ロンドンは一六世紀のはじめですと、人口数万人程度ですから、匿名性が高かった社会とは言えないかもしれません。しかし、一六世紀の終わりには一〇万をはるかに超え、よほど匿名性の高い社会になり、一七世紀の終わりになると五〇万くらいですから、ますます相互に顔はわからなくなってきます。イギリス全体の人口が増えているということはもちろんあります。けれども、なぜロンドンに人がいっぱい集まってくるのか、というのが最初の問

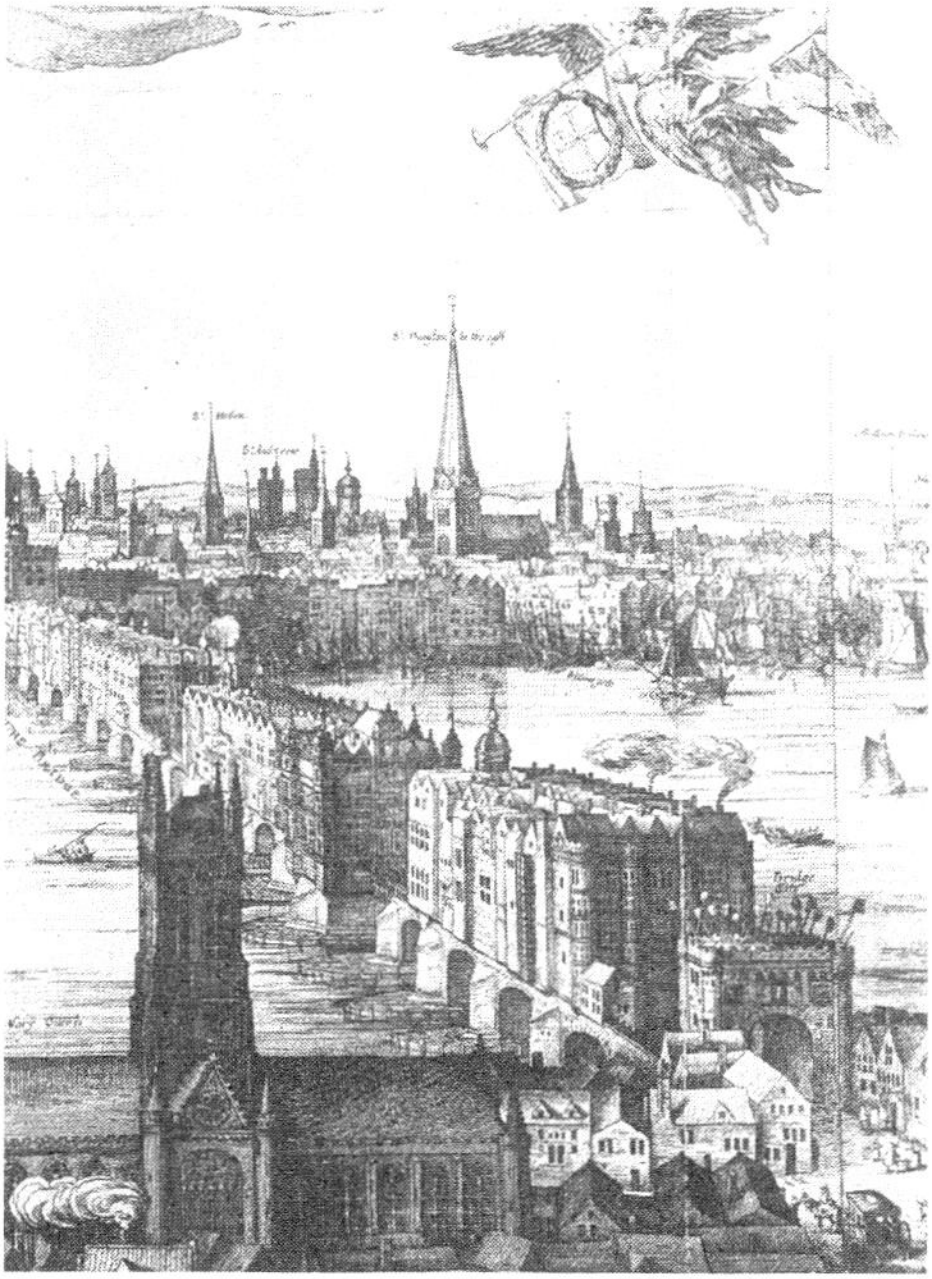

エリザベス時代のロンドン。中央はロンドン橋

題になります。

この問題を解く鍵は、一六世紀をふくむ近世イギリスの家族のあり方にあります。結論から先に言いますと、イギリス人のライフサイクルが、若者たちが生活していた場所を離れ、ロンドンに集まってきやすい構造になっていたということです。

家族とライフサイクル

このころの家族のあり方やライフサイクルを説明するためには、家族史、人口史がどのように展開してきたか、学説史的な話を少ししておいたほうがいいかもしれません。

私の大学院時代にリグリー（Edward Anthony Wrigley）という人の、イギリス南西部のコリトンという小さな教区を扱った論文が出ました。私が一九七二年ごろにコリトン村に行ったら、東洋人が来たというので、村の人が反対に見にきて驚いたことを覚えていますが、リグリーはこのコリトン村の人口、家族のあり方を細かく分析しました。「家族復元法」という、新しい分析方法をイギリスではじめて用いたのです。

ヨーロッパ全体がそうかもしれませんが、イギリス人の生活の基本は教区（parish）中心に成立していました。英語で village（村）という言葉があります。むろん誰でも知っているやさしい言葉ですが、よく考えると具体的なイメージがさっぱり湧きません。village

という言葉は、イギリスの史料には、そんなに頻繁には出てこないようにさえ思うのです。言葉としてはもちろんあるのですが、よくわかりません。それに対して教区は人びとの生活の核になっています。教区の役員が選出されて、救貧など福祉活動もその教区単位でおこないます。日曜日にはミサがあって、そこで顔見知り同士が会う、ひとつのグループです。ふつうのイギリス人は教区の教会で洗礼を受け、結婚するときはそこで結婚許可証を受け、亡くなるとそこで埋葬されます。

そういう記録を丹念に確認していくと、昔の人の、日本でいう戸籍のようなものが復元できるというのが、家族復元法の基本的な考え方です。

この方法によって、家族や人口の現象が細かいところまでわかるようになりました。子どもの数がどれくらいで、どれくらいのインターバルで子どもが生まれたのか、平均寿命ももちろん出てきます。この教区ではいつごろから避妊をはじめたのかということもあきらかにされたので、衝撃的でした。一六世紀は人口が増えたらしいということは言われていましたが、こういった、おぼろげにしかわかっていなかったことが、はっきりとわかるようになりました。

こうした研究スタイルは、コンピュータが出てこないとできないことでした。コンピュータを使って、アマチュアの歴史好きな人を大量に動員する分析手法は、日本では速水融《あきら》先生などが取り入れました。史料の状況からイギリスと日本がこの手法に適していたのです。

近世イギリスの家族の特徴

家族のあり方についても、この家族復元法によって、西北ヨーロッパ、とくにイギリスの特徴が従来よりもはっきりとあらわれてきました。それは三点にまとめられます。

一点目は、とても早い時期からイギリスは単婚核家族であるということ。ずっと後に単婚核家族になったのではなく、一六世紀は微妙な時期ですが、一七世紀にはあきらかに単婚核家族の社会であったということです。

二点目は、晩婚の社会であるということです。当時の庶民は、二〇代の後半くらいに結婚をしました。世界全体を見渡しても、工業化以前の社会で、これほど結婚の遅い社会はありません。他の地域ではたいてい、一〇代の中ごろかもっと早い時点で結婚します。日本でも、一九二〇年代生まれの私の叔母は一三〜一四歳ごろに結婚しているのではないかと思いますので、二〇歳代半ばにならないと結婚しないという近世イギリスは、晩婚の社会と言えます。

最後の三点目がもっとも特徴的なことですが、だいたい一四歳前後から短くても七年、長ければ一〇年以上、どこかよその家に奉公に行くというかたちがあります。私はこれを、「ライフサイクル・サーヴァント」とよんでいます。

この奉公の形態で、一番よく知られているのは徒弟で、七年くらいです。それから、いまでいう、お手伝いさんは、男女ともありました。一番多かったのは、農家に農業のサーヴァントとして入るかたちです。農業サーヴァントと言いました。

徒弟は七年間親方を変えません。お手伝いさんははっきり決まっていないのですが、農家に入ったサーヴァントは基本的には一年で親方を変えるのが原則です。一年の終わりの秋に、つぎの年の雇い主を決める市がたちます。サーヴァントの市ですから人身売買です。後になると批判されて、経済効率も悪いというので、なくなっていきますが、近世のイギリスでは、全国的に盛んにあった雇用の市です。モップ・フェアと言うのですが、モップを使った仕事が得意だという女の子が、モップをもって立っている。雇う側がそれを探し歩く、というようなかたちでした。

こうした三つのことがからみあって、父親と母親のあいだに生まれた子どもは一般的には一四歳になると——早くは四、五歳のこともあり、逆に遅くまでいた人もいたかもしれませんが——、親元を離れて奉公に行きます。自分の生まれた家と同等か、多くは社会的にやや上位の家庭に行きます。貧しい家には行きません。だから、若者は、少しずつ上位の家に行くことになります。農業サーヴァントであれば毎年親方は変わっていきますが、徒弟であれば七年間親方のもとで徒弟修業をします。一四歳から七年つとめると二一歳で、イギリスの伝統的な成人の年を迎えます。サーヴァントはそのままつづけることが多く、一〇年くらいつづけると二〇歳代の半ばになっています。サーヴァントは住み込みで独身であることが大前提ですので、結婚しません。

このシステムは、イギリスの近世社会を強く規定しています。一〇代で結婚するということはまずありません。二〇歳代中ごろの晩婚になるわけです。

そのことは言い換えれば、修業ないし奉公を七年から一〇年くらいつとめるので、終えるころには、羊の一頭くらいは持っているというレベルから、何か商工業をはじめるための「営業権」をふくむ「市民権」を獲得しているレベルまで、さまざまなかたちで財産や権利を獲得していることになります。徒弟を七年くらいつとめると、市民権を得ます。市民権というのは営業権でもあるので、何かの商売をすることができます。ただし魚屋の徒弟をしたからといって、魚屋をしなければならないという規定は別にありません。何か商売することを認められる、つまり一人前になるということです。

このように、七年から一〇年くらい修業の期間がある。このあいだは結婚してはいけないことになっているために、当然晩婚になる。アフリカなどでは現在でも、とても結婚が早いですが、そういう社会とはちがうかたちがありました。

晩婚の社会——「一五で『ねえや』は嫁に」行かなかったイギリス

多くの若者が一〇年間も親元を離れて、別の家のサーヴァントになっていたわけですが、その間、彼らは擬似的な意味で雇い主の子どもとして扱われます。たとえば、サーヴァントが何か罪を犯すと、実家の親が罰せられることはなく、雇い主が社会的に糾弾されるのが普通でした。つまり、サーヴァントとして入った家の一員になっているという特徴があります。

「政治算術」という、この当時の社会状況をあらわしている統計的な学問があります（第二章参照）。この政治算術とよばれる大量の史料を読むと、家族の規模は上流階級ほど圧倒的に大きくなっています。下層階級では、家族の規模は三人から三人半くらい。これは、庶民の家では子どもがたくさん生まれないということではなくて、たくさん生まれるけれども、みんな少しずつ上の階級にサーヴァントとして入っていき、その家庭の擬似的な一員となっているということです。サーヴァントになると、そこの家族として勘定されるので、たとえば、国王の家族は、宮廷人を全部ふくめて、数千人にもなります。貴族は、一六世紀ですと一六〇〜一七〇家族くらいしかありませんが、一七世紀末ごろの政治算術書では、そういう貴族には、一家族四〇人くらいの人がいたことになっています。これはもちろん、夫婦の他に子どもが三八人いましたということではなくて、使用人がたくさんいて、家族として計算されているのです。

庶民の家は三人もしくは三人半と言いましたが、三人の家族では、三世代家族ということは考えにくい。夫がいて、妻がいて、子どもが一人いれば三人です。おじいさんとおばあさんも一緒で三世代家族であれば、平均が三人や三人半になることはありません。

一方、子どもは、一四歳くらいで実家を離れると、住み込んだ先の子どものようなものとして扱われます。相続権などはありませんが、一〇年間くらい住み込んでいると、われわれの感覚にくらべて実の親との関係が薄くなっていくことが考えられます。家族史の常識として、イギリスではこういうライフサイクル・サーヴァントを終えて結婚をするというときに、親元に帰って、親と一緒に住むというかたちがありません。そういうスタイルがないから、三世代家族がないのです。このように話はすべて整合しています。

結婚して新しい家族をつくることができるのは、一〇年くらい資産を貯めていたり、資格を獲得していたりするからです。このかたちは、現在のわれわれの高学歴社会によく似ています。つまりライフサイクル・サーヴァントというのは、徒弟であれ、お手伝いさんであれ、農業サーヴァントであれ、いまでいう学生時代、言いかえれば、半人前の修業時代のことです。その期間がかなり長いので、晩婚になる。われわれの社会でも、学生は結婚できないわけではないですが、社会的に、「まだ学生なのに、君は結婚するのか」という抵抗がある。日本では、戦後、学生結婚はかなりはやりましたが、いまはそんなに多くないし、どんどん広がっていくという感じもありません。近世のイギリスでは、それと同じような雰囲気がありました。

親元に帰らなくても、少しは基盤があるので、生活していける。こうして、近世のイギリスは、当時の日本、あるいはアジア、アフリカの国とくらべれば、新婚夫婦がスタートするときの経済レベルはかなり高かったものと思われます。政治算術のデータからも、当時のイギリスは、いまの低開発国よりは生活の水準が高かったという研究も、だいぶ以前になされたことがあります。早婚の社会では、たとえば一〇歳代で結婚をしても生活していけませんから親元に同居することになりますが、イギリスではそうではなかったということです。

救貧法はなぜ必要になったのか――福祉国家の淵源

こうして、近世イギリス人の人生を考えると、一四歳くらいまでは、日本でいう寺子屋のようなところで読み書きを習ったりすることもありますが、だいたいは家で親の手伝いをします。そして一四歳くらいになると、よその家に行って、半分くらいよその子になってしまう。一〇年くらい過ごして、結婚して独立をする。そして子どもができ、その子も一四歳前後になったらよその家に行くということをくりかえします。

元の親の家はどうなるかというと、高齢者夫婦だけになるか、むしろ多くの場合はどちらかが欠けてしまい、独居老人になります。こうしたことから、イギリスの近世社会には独特の救貧問題が発生します。

一七世紀のはじめに、エリザベス救貧法とよばれる法律が出されます。この時代から貧困がひろがって、救貧法を出さざるをえなかったのです。その原因は、イギリスで早期に資本主義が発達したからだと、かつては説明されてきました。しかし、資本主義の発達と関係がないわけではないのでしょうが、それが直接の原因ということではありません。むしろ、いまお話ししたような家族の構造に非常に関係があったと考えられます。

年老いた夫婦は、自分の子どもはどこかに行っていますから、二人とも生きていたとしても生活していけません。だから、農家などではかなり貧しくても、よそからサーヴァントを雇います。もう少し下の階層からサーヴァントを雇って農業をつづけようとします。ただそれもできなくなると、高齢者の面倒を誰が見るかという問題が出てきます。日本の伝統社会では、老親の面倒は子どもが見るべきだと考えられ、実際うまくいっていたのだと思いますが、イギリス社会ではそういうことはありませんでした。高齢者は社会的に面倒を見なければならない、それは教区の責任である、ということになっていきました。だから救貧が深刻な問題になったのです。

救貧の研究は、昔は政策や制度自体を対象としていましたが、最近では、救貧の対象がどういう人だったのかということに関心が移りました。こうした研究が示すのは、いま話したような高齢者、そして寡婦が救貧の対象だったということです。

伝染病で簡単に人がたくさん死んだ時代ですから、夫が死んでしまう、妻が死んでしまう、幼い子どもを残して親が死んでしまうケースはたくさんあります。いわゆる欠損家族——この言い方には、両親のそろった「完全なる家族」が正常であるという、歴史学としては、いささか問題のある価値判断が垣間見えますが——になる可能性は非常に高かったのです。両親のどちらが亡くなっても、当時の社会では、子はたいへんな苦労を強いられます。両親とも亡くなって孤児になることも多くありました。とくに、幼児を残して、夫に先立たれた寡婦というのは、救貧の対象になっているケースが多くあったということが、しだいにわかってきました。それはイギリス社会のひとつの特徴だろうと思われます。

こうしてみると、近世イギリスの家族やライフサイクルは、単婚核家族で、晩婚の社会となった最近の日本のそれとよく似ていることがわかります。介護の問題が深刻化し、行方不明の高齢者問題や、離婚と再婚で生じる、母子家庭の問題や継父による虐待など、そこから発生した問題もとてもよく似ています。

首都ロンドンへ向かう若者たち

ともあれ、こうして近世のイギリスでは、子どもは、一四歳くらいにライフサイクル・サーヴァントとして、実家を出るというパターンが確立していました。

ところで、そうなると、彼らは家を出てどこへ行ったのでしょうか。自分が慣れ親しんでいる近くへ行くというのが一般的ですが、近くの村に行くよりもロンドンに行ったら楽しい、いいことがあるかもしれないと思う若者も、少なくありませんでした。もう少し後の時代になると、アメリカに行く人も出てきます。あまりこのことは注目されていませんが、近世のイギリスは、若者の地理的な流動性が非常に高い社会になっていきます。一六世紀の場合には、年間約五〇〇〇人、一八世紀になると八〇〇〇人くらいが毎年ロンドンに移住したのではないかと言われています。

こうしてロンドンが急激に拡大していきますと、そこには最初に申し上げた匿名性の高い社会が成立します。都会も教区にわかれているので、教区の人は顔見知りでも、教区を出たら知らないという具合になっていきます。こういう社会で起こることを象徴的に語ったのが、一七世紀の終わりから一八世紀にかけて活躍したダニエル・デフォー（Daniel Defoe）です。

デフォーは戦後の日本の歴史学でも非常によく研究され、「戦後史学」では、とくによく引用された著作家です。ただし、デフォーの解釈については、いろいろ議論がありますが、私は、「戦後史学」で語られたデフォー像は本質的に誤解だと思っています。戦後の歴史学では、デフォーは独立不羈《ふき》のヨーマン、つまり独立自営農民の似姿で、ピューリタンの信仰心を持っていたという言われ方をしましたが、それは偏った読み方です。デフォーは、ほんらい、フォーというロンドンの肉屋の息子です。中流の肉屋ではいやだ、上流階級になりたいというので、フランスの上流階級らしく、自分で「ド（デ）」をつけました。自分は上流階級であると信じようとしていた人です。

彼が生きた時代は、イギリス文学史上、小説、つまりノヴェルとよばれるジャンルが出てくる直前でした。ですから、もっとも有名な『ロビンソン・クルーソー』も小説ではないのですが、この『ロビンソン・クルーソー』をふくめて、彼は四つくらいの物語を書いています。

『ロビンソン・クルーソー』の話も戦後の歴史学では、ロビンソンはひとり、無人島でまさに独立不羈の精神をもって生活し、他に人がいないのに、本国の囲い込みにならって、垣根をつくったなどと説明されました。しかし、物語の冒頭を読むと、ロビンソンは、イギリスの北東部のハルという港町から出てきた人間ということになっています。お父さんが彼に、上流階級は見栄を張らないといけないから辛いし、下層階級は生活がたいへんだ、しかし、われわれ中産階級は、真ん中でいちばんいい階層だから、私の後を継ぎなさい、としきりに諭《さと》します。でも主人公はそんなのはいやだ、上流階級であるジェントルマン階層になりたいと、海に出ていくわけです。かくて、彼が最初に展開するのは、奴隷貿易なのです。

このことは戦後のロビンソン・クルーソー研究ではまったく忘れられていて、無人島に行って農業をしていることだけが取り上げられるのですが、もともと彼がはじめたのは奴隷貿易です。最近、フランス製の『ロビンソン・クルーソー』のＤＶＤをみたのですが、とても面白い。奴隷貿易業者の彼が、最後は奴隷解放をめざす物語になっていましたけれども、奴隷貿易で一旗あげて、というところは、原作どおりでした。デフォー自身、そして彼の物語に登場する人物も、中流、あるいはもっと下層の人間が、上流、つまりイギリスでいうジェントルマンとレディの階級になりたいという願望を強く表明しているというのが私たちの解釈です。文学史でもそういう解釈の研究はあります。

ジェントルマン、レディとは何か

ちなみに、ジェントルマンというのは、近世以降のイギリス社会の支配階層のことで、女性はレディ（正しくは、「レイディ」と発音すべきですし、ジェントルウーマンという言い方もないわけではないのですが）とよばれました。膨大な不動産を所有して、その貸し賃で、上流の生活をする人たちのことです。具体的には、大地主がそれにあたりました。大地主は、公爵から男爵までの爵位をもつ貴族と、身分的には平民のジェントリにわかれていましたが、一七世紀末のイギリスでは、貴族は二〇〇家族に満たなかったため、二万家族程度のジェントリと共通の社会層――ジェントルマン階級――を構成しました。ジェントルマン階級は、人口にして、全体の五パーセント程度とみなされています。

ジェントルマンは、こうして、肉体的な意味での労働や人に雇われるような勤務はしないことが条件と考えられました。自らの資産からの所得によって、サーヴァントを雇い、政治活動とチャリティなどの社会奉仕と趣味・文化活動を事として暮らす「有閑階級」であり、独特の教養と生活様式を維持していることが求められたのです。逆に、織元、つまり、毛織物業の経営者やその労働者である織布工のように、自ら労働をして報酬を得れば、原則として、ジェントルマンの地位を失うとされていました。この原則は、イギリスだけでなく、ヨーロッパに共通の慣習でした。

早くから、家督を継げないその次男・三男の処遇のため、弁護士、内科医師、将校、高級官僚など「ジェントルマン的職業」が、社会的に事実上承認され、帝国の拡大とともに、豪商の域に達した貿易商も、擬似的なジェントルマンとみなされるようになりました。植民地にプランテーションを所有する者もその仲間とされ、ロビンソンが狙ったのは、この地位でした。一九世紀になると、膨大な植民地官僚群も同様の社会層として立ち現れます。

同時に、株や国債、抵当証書などの証券、つまり動産に投資する人びとも、はじめのうちは、「金貸し(マネド・マン)」として忌避されますが、一九世紀前半のうちに、むしろジェントルマン階級の中核とみなされるようになります。しかし、こうしたシティに結集する金融関係者を、ほんらいの地主ジェントルマンとの関係でも、また、ものづくりをする産業資本家との関係でも、社会的にどう評価するかは、本書がしだいにあきらかにするように、イギリス史を縦に貫く複雑で深刻な問題でしたし、いまもそうなのです。証券投資は、あきらかに「働かないで得る」不労所得で、その点では地代と同じでしたが、地主社会との関係でいえば、いかにも根無し草のようにも見えるからです。

ともあれ、一九世紀、もっとも繁栄していたとされる時代のイギリスでは、のちに保守党出身の首相で、政治小説『シビル――あるいは二つの国民』を著したベンジャミン・ディズレーリ（Benjamin Disraeli）は、イギリスはジェントルマンとそうでない庶民という、「二つの国民からなっている」としました。この表現は、イギリスの近代社会を語るうえでのキー・タームとなっています。

イギリスは、ジェントルマンがジェントルマンでない民衆を支配する国として、展開してきたのです。しかし、この点に深く立ち入ることは、本書の目的ではありませんので、このくらいにしておきましょう。

「ロンドンでは、人は身なりで判断されます」

デフォーが書いた『モル・フランダーズ』という女性の物語もよく知られています。孤児院で育った女の子が、大きくなったら何になりたいかと尋ねられて、レディになりたい、と答えます。ジェントルマン階級の女性になりたいということです。こんなあり得ない願望を聞いた人びとが面白がり、ついに、市長の奥さんや娘たちまでもが、野次馬根性を出して見にくる、というところから話ははじまります。

モル・フランダーズは、とてもかわいく、ちやほやされるけれども、紆余曲折のあげく流れついたリヴァプールでスリの仲間に入って、スリの女親分のところで仕事をするようになります。

彼女は、リヴァプールはどうも面白くない、大都会に行かなければというので、ロンドンに行くことになります。そこで女スリの親分がモル・フランダーズに、ロンドンのような大都会では、「人は身なりで判断される」ということを言います。これは非常に象徴的な言葉です。田舎では、たがいに相手がどういう人か知っていますから、身なりはあまり問題になりません。

よく知られた笑い話があります。一人のジェントルマンがいて、ロンドンでとても貧しい恰好《かっこう》をしていました。人が「何でそんな恰好をしているのか」と聞いたところ、「ロンドンでは、誰も私のことを知らないから、どんな恰好をしていてもいいのだ」と答えたというのです。その後、田舎に帰って、彼の領地でまた同じ人物がそのジェントルマンに会いましたが、同じように、ぼろぼろのものを着ていたので、「この地では、みんなあなたのことを知っているのに、なぜそんな恰好をしているのか」と聞いたら、「ここでは、みんな私が誰だか知っているから」と答えた、という話があります。これも非常に象徴的な話です。

当時リヴァプールは、いわゆる「特権都市」ではあったのですが、人口からいえば、まだ小さな町でした。田舎では基本的に匿名性が低いので、たまたま変な恰好をしているからといって、下層階級だと思われたり、いい恰好をしているからといって、上流かなと思われたりすることはありません。しかし、ロンドンでは、向こうから来た人を、身なりや化粧、アクセサリーなどで判断するしかないということになります。

さらに言うと、化粧も関係がありますが、顔つきやスタイルが重要になってきます。都会の生活文化のひとつの特徴は、外見に非常に気をつかうということです。われわれも家のなかにいるときはジャージー姿でもいいけれども、下着姿ではデパートへ行けません。家族のあいだでは、化粧をしない、すっぴんでいいのだけれども、よそに行くときは化粧をしなくてはいけないというのは、まさに、「見かけ」が問題になってくるということです。そういうことがイギリスでは、ロンドンで圧倒的に早く成立していました。

外見の時代

そうなると、いろいろな変化が起こってきます。ひとつは衣服です。衣服は非常に深く流行と関わっていますから、ファッションの世界が生まれてきます。もうひとつは美容です。この関連で、散髪屋さんも、非常に増えるのです。

後のほうから先に話をしますと、ロンドンではたしかに理髪店が非常に多くなっていったと言われています。当時の理髪師というのは、外科医を兼ねた商売でした。少し専門が分化していくところもありますが、バーバー・サージャンといって、ひとつのギルドになっています。歯医者さんもだいたい同じです。当時の歯医者さんは虫歯を抜くのが仕事でした。産業革命時代に、有名な紡績機械を発明したとされたアークライト（Richard Arkwright）は、虫歯を抜く専門家でした。この外科医、散髪屋、歯医者というのは、当時の職業概念では人体の一部を切り取るということで、ひとつの仕事に考えられました。外科医兼散髪屋、そういう人たちがロンドンでは非常に増えていったと言われています。

じつはこのことには、深刻な問題もありました。化粧の話はまたあとでしますが、外科医兼散髪屋さんが増えたという背景には、人びとがヘアスタイルを気にするようになって、男性はウィッグ（かつら）をつけるようになっていったということがあります。さらには手袋をし、できるだけ肌を出さないようになります。

しかし、一番大きかったのは、一六世紀、梅毒がアメリカから入ってきて、急速に広がっていったということです。梅毒は、症状が進行すると、体形が崩れるということがありました。外見を非常に気にする社会では、深刻な問題だったのです。

ところが、このころの一流の医学でも、梅毒に対処できません。高級なお医者さんというのは、古代ギリシャのガレーノスの医学を前提にしていました。人間の体液の組み合わせで、病気が出てくるとする学説です。しかし、ガレーノス医学では、ギリシャには梅毒はありませんでしたから、名前すら出てきません。当時イギリスでは、梅毒は「フレンチ・ポックス」とよばれていましたが、高級な医師には、まったく対処できなかったのです。

この当時のお医者さんには、フィジシアン――訳しようがないので、「内科医」と私たちは訳していますが――とよばれる人、アポシカリーという、薬局、薬屋から医者になった人、それからサージャンがいました。

そもそも、近代になっても、英語には日本語のような「医師」という言葉はありません。お医者さんは何と言うのか、と聞くと、学生さんはみんなドクターと答えますが、ドクターは医者ではありません。私もドクター（文学博士）ですから。つまり医師という概念が歴史的になかったのです。フィジシアンはフィジシアン、サージャンはサージャンで、まったく別の職業でした。

医者というくくりのなかで、外科、内科、歯科がわかれているわけではありません。いわゆる医療に携わる人たちには、社会的なランキングがありました。一番上は、フィジシアン。数が少なく、先ほど紹介したガレーノス流にもとづいて、ときどきギリシャ語を交えた話しかしないのが特徴です。転地療法をやりなさい、血が悪いから血を抜きなさい、といったことを言うだけです。当時の療法では、梅毒には水銀を使わないと対処できませ

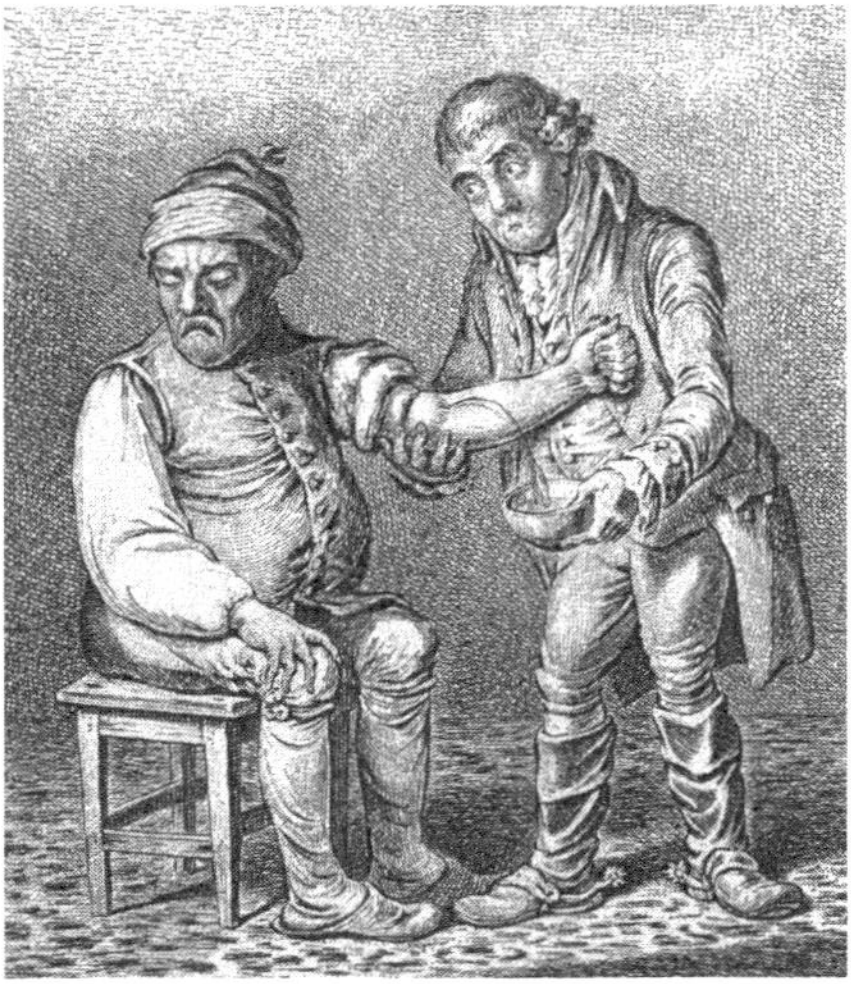

放血治療（ギルレー）（G. Rudé, *Hanoverian London 1714–1808*, 1971, Secker & Warburg より）

んでしたが、この人たちは水銀を扱えません。梅毒の流行とともに、内科の医者よりも外科の医者がはやりはじめるのは、そういうことも大きいのではないかと思います。

外科医兼散髪屋のようなところが増えていくと、日本の床屋と同じで、そこが町の人びと、とくに男性の情報センターになっていったと言われています。のちに質屋やパブも町の情報センターになっていきますが、そのはしりで、たくさん出てきます。これは大きな変化だと思います。散髪屋があることが都会の証《あかし》になっていくからです。田舎には、農業と兼業でというケースはあったでしょうが、数は多くありません。だから、こういった外科医兼散髪屋のような外見に関わる美容、理容、健康の仕事の人がいることが大都会の特徴になっています。都会の生活文化のあらわれだろうと思われます。後になると、地方の都市でもこういった職業の人が増えていくことになり、歴史家によって、「地方都市のルネサンス」などとよばれますが、一六世紀や一七世紀のはじめでは、これは圧倒的にロンドンの現象でした。

ファッションのはじまり

つぎにアクセサリーや衣服のことを考えてみます。都会では、きれいな服を着て上流階級の恰好をしていると、上流階級に見えてしまうということがありますから、衣服、アクセサリーが重要視されるようになっていきます。

このことについては、私も以前に本を書いております(『洒落者たちのイギリス史』平凡社ライブラリー)ので、ここであらためて申し上げるつもりはありませんが、簡単なことだけお話ししておきましょう。一六世紀になると、ロンドンには地方から人がたくさん集まってきて、道ですれちがうのは見知らぬ人ばかりとなると、いい恰好をしている人が上流階級と見られるようになります。そうなると、なるべく新しいものを取り入れて、他の人と少し差をつけようという、差異化の欲望が出てきます。こうして、ロンドンがイギリスにおける流行の発信地になっていきます。

当時、まだ、イギリスはヨーロッパのなかのローカルな国でしたから、文化センターで

ぜいたく禁止法時代の流行モード。男子のホウス（半ズボン）、ひだ襟、ストッキングなどに注目（I. Brooke, *English Costume in the Age of Elizabeth*, 1953, Adam & Charles Blackより）

あるネーデルラント（ほぼ現在のオランダ・ベルギー地方）、イタリア、フランス、スペインなどの恰好をまねるようになります。日本でいう南蛮人のような恰好、たとえば、首のところにひだ襟《えり》がついていて、手首に袖飾り（カフス）がついていて、男性は半ズボンのような、ふくらんだものをはく。これは完全に大陸のスタイルですが、それが急速にロンドンに入っていきます。それまで、イギリス人はロビン・フッドのように、頭からすぽっと被《かぶ》るワンピースのような服装をしていましたが、突然変わります。一五世紀の終わりからルネサンスとともに、イタリア風のファッションが入ってくるようになるのです。それも上流階級から入ってきて、より下層の人たちがまねをしていくかたちで広まります。ロンドンでは、本来の身分はわからないので、とくにこうした新奇なファッションが、急速に広まっていくわけです。

流行があまりにひどい、という批判をしたこの時代の書物はたくさんあります。とくにそれがうかがえるのは、ぜいたく禁止法という名前でよばれている一連の法律です。ぜいたく禁止法は一六世紀、それも前半にたくさん出されます。ぜいたく禁止法には、どういう剣を差すか、どのような色の衣服を着るか、布地はどのような物を使うかといった細かい規定があるのですが、ほんらい、その趣旨は、社会的な身分に応じた服装をしなさいというものです。つまり、自分の本来の身分を超えたような服装をしてはいけないということですから、こういう法律がたくさん出されているということは、ロンドンでは、身分不相応の服装をした人たちがたくさんいたということでもあります。それを止めようと、ジェントルマンはジェントルマンらしく、レディはレディらしい恰好をすべきであるという法律がたくさん出されます。

しかし、このぜいたく禁止法は主に成人男性の服装を規定したものです。というのは、この時代のイギリスでは、ステイタスは、成人男性のものでした。子ども、ライフサイクル・サーヴァント、あるいは女性たちは、家族のなかの従属的なメンバーとみなされ、「職人の妻」、「大工の徒弟」や、「小屋住農の子ども」などというように、戸主である成人男性のステイタスに従うようになっていましたので、その人たちの服装はそれほど気にし

洋服屋（Charles Whynne-Hammond, *Towns*, 1976, Bastfordより）

なくてよかったのです。成人男性にとって、ステイタスはピラミッドのようになっていて、その人が社会のどの位置にいるかを示す目印でもありました。その乱れは、身分制秩序の乱れと考えられ、それを止めるために法律を出したのです。

　ところが、法律を出してみても実効性はほとんどありませんでした。実際にこの法律を施行しようとして、とくに末期には、階層ごとの規定、たとえば金箔のついた毛織物は伯爵から上でないと身につけてはいけない、首のひだ襟が肩より外に出ていいのはどういう階層か、といったことを決めました。そういうものを一覧表にして役人がもっていて、ロンドンの市門で見張るのですが、これはまったく論理的に無意味な話でした。

　ロンドンは匿名社会ですから、向こうから来た人は、その恰好でしかステイタスを知る方法がありません。その恰好が、その人本来のステイタスにあっているかどうかは、わかりません。だからこの法律はたくさん出されたけれども、この法律で処罰された人はほとんどいない、と言われています。

不況に勝てなかった「ぜいたく禁止法」

ぜいたく禁止法は、一六世紀の後半になると、議会制定の法律としてはまったく出されなくなります。議会が認めないので、国王や国王周辺は必死になって布告、命令として、同趣旨の規定を発布するようになります。

なぜ議会は認めなくなったのでしょうか。一六世紀後半、ロンドンからアントワープへ輸出されていたイギリスの毛織物の動きが止まり、長期の不況に陥ると、ぜいたく禁止法は経済的に有害なのではないかという考え方が、庶民院（下院）の議員から出てくるからです。

庶民院は、ジェントルマン階級のなかでも、貴族よりは下層で、この階層の大半を占めるジェントリによって主に構成されていました。身分的には平民ですが、ジェントルマンだから大きな土地を所有する地主がほとんどで、その土地を農民に貸しつけて生活をしていました。とはいえ、貴族も、ジェントリも、有閑階級であることに変わりはありません。それこそがジェントルマンがジェントルマンたるゆえんです。しかし中世からずっとつづいている貴族とはちがうし、もとは貿易商であったが、成功を収めて地主になった、あるいは、もとは弁護士で成功して地主になった、といった人がけっこういます。一五三〇年代に、イギリスでは宗教改革で修道院が解散されると、修道院領が国王のものになりました。その後、国王は少しずつ修道院領を売りだし、それを買った新しいジェントリもたくさんいました。

そうして国会議員になった人たちは、ジェントリであっても、経済の状況に敏感な、いわば商才のある人びとでした。自分の領地に失業者があふれてくると、状況を打開するために、起業家のようになっていきます。先ほども述べたように、自分で商売をしてしまうとジェントルマンではなくなりますから、自分で商売はしません。しかし、領地に石炭は出ないか調べさせたり、染料になりそうなものが栽培できないか探らせたり、換金作物としては有効な煙草《タバコ》を、アメリカからもってきて栽培させたりしました。

また新しい製造業、たとえば靴下編みがはやります。靴下はこのころの大ファッション・グッズでした。それまではイギリス人は靴下をそれほど履いていなかったのですが、一六世紀になると、履くようになります。エリザベス女王は、黒い絹の靴下をもっているのが自慢で、遺産目録に載せています。もっとも、同じ靴下といっても、下の階級になるほど材質が変わり、普通の庶民は昔からある「旧毛織物」として知られる、伝統的な厚手の毛織物の靴下を履くようになります。ただ、それらは、安物であっても、ニットですから、誰かが編まないといけません。

しかも靴下はファッション・グッズですから、非常にはやるのですが、そのようなものをぜいたく禁止法で特定の階層に限定されると、業者は打撃を受けます。だから、庶民院の議員になっていたジェントリとよばれる人びとは、ぜいたく禁止法に賛成しなくなります。昔からの貴族や国王の周辺は、身分制の秩序を崩されては困る、とぜいたく禁止法を出しつづけようとしますが、あまり機能しません。反対派にすれば、機能しないことははっきりしているし、経済的にも有害ではないかという考え方になってきます。

こうして、一六〇三年にエリザベスのあとを受けて、スコットランド王ジェームズ六世がロンドン入りし、イギリス王ジェームズ一世となりますが、彼は最初の一六〇四年の議会で、ぜいたく禁止法を全廃しました。

一六〇四年というと、関ヶ原の合戦の四年後です。日本では江戸時代になって、倹約令などが出されます。倹約令というのは典型的な日本のぜいたく禁止法で、この法律も身分制秩序と関わっています。そういった法律がこれからたくさん出てくるというときに、イギリスは、ぜいたく禁止法を全廃しました。フランスもまだぜいたく禁止法を出しています。

ぜいたく禁止法は、中世から近代にうつっていく近世という時代に、中世の身分制秩序が崩れていくのを止めるために、世界中の国で出された法です。これがイギリスでは、世界で最初に全廃されました。この点は経済史としても、生活の歴史という観点から見ても大きな意味があります。

これには、やはり巨大な都会、ロンドンの存在が大きかったと言えます。大都会が成立してしまえば、身分に応じた服装をといっても、それを取り締まるシステムがありません。しかし、廃止されてしまったとなると、道徳的にはいろいろ言われても、法律上は何を着てもよいことが、明確になったわけです。そうすると、まさにロンドンでは、「人は身なりで判断される」ことになり、上流の恰好をしている人間は上流ということになっていきます。われわれからすると、上流の生活を送っていれば上流なのだというのは当たり前ですが、もともとはそうではありませんでした。どのような恰好をしていても、上流は上流、農民は農民だったのが、見かけがむしろ優先される社会になっていきます。これが都市生活の大きな特徴です。この現象は一六世紀の後半ごろにロンドンで成立しました。

需要が引っ張る経済成長

このことは経済史的には、イギリスに、全国民を巻き込んだ国民的マーケットが成立したことを意味します。フランスでは、たとえばヴェルサイユで貴族たちが華やかな暮らしをしているといっても、それは貴族だけの話で、マーケットとしては非常に狭かったのですが、イギリスでは王室が流行を取り入れると、かなり早いスピードで国民全体に広がっていくようになったのです。

たとえば、のちに東インド会社が輸入するコットンもそうです。キャラコ——英語では、キャリコですが——を、東インド会社は、マーケティングの戦略として、まず王室に贈呈します。それが王室で流行すると、貴族がまねをして、貴族で流行すると、ジェントリが、という具合に広がっていきます。

このことは、ぜいたく禁止法を廃止させた風潮と関係がありますが、さらにはロンドンが大きくなっていったということもあると思われます。これは、紅茶がなぜイギリスのナショナル・ドリンクになったかというのと同じ話です。王室が紅茶を飲むと、周りがどんどんまねをしていきました。フランスであれば、ヴェルサイユで喜ばれたとしても、南部の農民は、そんなことには関係なく生活をしたことでしょう。それでは、国民的マーケットは成立しません。

近世から近代にいたるイギリス経済の発展を、イギリス人がいかにがんばって働いて、

紅茶は受け皿で飲む。19世紀の貧民女性用の宿（Charles Whynne-Hammond, *Towns*, 1976, Bastfordより）

どういうものを生産したか、というように議論するスタイルは従来からあります。それもひとつの歴史の見方ですが、私自身はむしろそういったモノが、なぜつくられたのか、なぜ売れたのか、人びとはなぜそういったものを消費したのか、というように見てみたいと思っています。

経済史の基本的な考え方として、マルクス主義的な生産主義は昔からありました。マルクス主義とは対立したマクス・ヴェーバー（Max Weber）も、そうでしょう。それに対して、ドイツの歴史学派経済学のなかから出てきたヴェルナー・ゾンバルト（Werner Sombart）、アメリカの制度学派ソーンスタイン・ヴェブレン（Thorstein Veblen）は、需要ないし消費がなぜ発展したかに注目しています。とくに徹底しているのがゾンバルトです。彼は恋愛を経済学のベースにおいて、とくに自由恋愛の世界では、男性が女性に、女性が男性に好かれるために化粧をしたい、服を着飾りたいと考えるようになり、そのために一生懸命働くのだ、というように資本主義の発達を説明しようとしています。

これらは、第二次世界大戦前の経済学の話ですが、もう少し現代的に説明することも可能です。たとえば、経済成長の理論モデルとして、需要が経済を引っ張っていく（demand pull型のモデル）と考えるのか、そうではなくて、生産が効率的になっていくので、みんないろいろなものを消費できるようになっていく（supply sideのモデル）と考えるのかということです。

両方とも部分的には正しいと思いますが、経済成長の歴史を、私はずっとdemand pullのモデルで考えてきました。だから、私が、生活史の話をしているのは、経済史のことを念頭に置いてのことです。

近世都市におけるステイタス

大都会としてのロンドンが成立すると、そこには匿名性の高い社会が生まれます。そうなると社会構造上の変化も起こります。ロンドンが大きくなるということは、ロンドンに住んでいる人が多くなり、経済的な力が強くなるということです。そしてそれとともに、都市の住民の社会的地位が上がっていきます。

伝統的にイギリスも日本も農業社会でしたから、身分のピラミッドは、農村を基準にしてできあがっていきます。つまり、土地に対してどのような権利を持っているか、ということが本来のベースになっています。まず土地を持っている人と持っていない人にわかれて、土地をどういうかたちで持っているか、また国王から直接もらっている（直接受封者といいます）かどうかでステイタスが変わっていきます。このようなかたちですから、伝統的な身分のピラミッドには、都会の人間はあまり入っていません。主に動産のかたちで資産を所有する都市の住民はどこに位置するのでしょうか。

イギリス史では、「シティズン」と「バージェス」（フランス語でいう「ブルジョワ」）という言葉が必ず出てきます。字義どおりには、シティズンはシティの市民権を持った住民のことで、バージェスは、そうでない都市の住民、有産者ということになります。ただし、イギリスでは、シティというのは非常に限られた数しかありません。アメリカ英語では、大きな町のことを何でもシティと言いますが、ほんらい、シティというのは、司教座のあった町のことで、イギリスでは二六しかありませんでした。シティ・オヴ・ロンドンには、司教座がありましたので、シティなのです。司教座がなくて、城塞、つまりブルクから発展した城下町をブルクと言い、そこの住民がブルジョワということになります。シティズンであれ、バージェスであれ、イギリス近世都市のなかでは、こうした市民権保有者は人口の半数以下であることが多く、市民でない住民が多かったのです。ロンドンでも、市民権を持っている人のほうが少なかったかもしれません。

こうした都市の住民をどのような身分に措定するかは、なかなか難しい問題でした。ぜいたく禁止法の変化に注目していっても、都会の有力者の位置づけが、しだいに問題になっていくのがわかります。しかし、それはとても難しいことでした。都市の人間には、農村の人間のように自由土地保有農であるか、地主であるかどうかという基準がないので、所得がいくらであるかなどを基準にします。しかし、先述のように、役人が市門でリストを持ってかまえていても、向こうからやってくる人の所得がいくらかはわかりませんから、意味がありません。

このころの都市、とくにロンドンで一番上の階層は、ロンドン在住のジェントリや貴族もいますが、一般的には大貿易商です。貿易が劇的に展開していく一七世紀後半になると、貿易商の力は急激に強くなっていきます。大貿易商の主人といった立場になると、毎日現場に出て、そろばんをはじくという仕事はもちろんしません。教養もあるし、貿易商ですから外国の言葉もわかる、外国の事情にも通じている、チャリティも、文化活動も熱心だなど、自分たちはジェントルマンの条件を備えているということを、彼らはしきりに言うようになります。

また、都会にはたくさんの弁護士がいます。弁護士は田舎で開業していても顧客を獲得できないので、都会、とくにロンドンに集まります。高等法学院という、弁護士の養成所が、ロンドンに四つあったことも関係していました。

内科医であるフィジシアンも、ジェントルマン相手の仕事ですから、地方にいるとその地のジェントルマンとしか仕事ができないので、ロンドンで仕事をする人が多くなります。

そのため、プロフェッション、つまり専門職の人たちがロンドンに非常に多く集まりました。こういう専門職の人びとは顧客がジェントルマン階級なので、つねにジェントルマンたちとの交流があります。しだいに地主などとの婚姻も増えていきます。私は、そういった人たちのことを「擬似ジェントルマン」とよんでいますが、いわば「ジェントルマンのような」ものとして扱われるようになっていきます。

ここにあげたタイプの職業に就く人は、地主の次男とか三男がほとんどです。もともとジェントルマンの家の出身であり、さらには顧客もジェントルマンということで、自分たちはジェントルマン階級に属していると意識するようになりますが、住まいはロンドンを中心とした都会でした。そうなると、このような人と、地方でそれぞれの領地に住んでいる地主ジェントルマンとの交流の必要も生まれてきます。それに対応して、その交流の場がつくられていきます。そこから社交という問題が出てきます。

都市上流層の社交

上流階級の貴族同士のあいだでは、どこにいても社交は成立します。しかし、イギリスで近世に成立する社交の特徴は、都市の上流階級と、農村の上流階級が交流をするということです。

そのひとつとして、イギリスには一般に「ロンドン社交季節」と言われている習慣が広がっていきます。英語では The London Season とか、たんに The Season と言われたものです。

一六~一七世紀の研究者であったロンドン大学のF・J・フィッシャー教授は、かつて、一六世紀の終わりから一七世紀のはじめに、ある上流階級の女性の日記に、姉妹でロンドンに行って、いろいろなところでパーティに出席したということが書かれているが、それがロンドン社交季節のはじまりだ、と主張しました。地方のジェントルマンが何日かロンドンに出てきて、社交会が開かれるようになったわけです。そのなかに、最初から貿易商人が入っていたかどうかはわかりませんが、弁護士や医者、高級官僚などは比較的早くから入っていました。こうして社交界というものが成立したのです。

この社交は非常に特徴的です。地方のジェントルマンが、おつきの者を何人か引き連れてロンドンに赴き、そこに長く滞在し、社交会に出席するという習慣は、このあとも拡大し、一九世紀のヴィクトリア時代になって、いちばん盛んになります。このころになると、彼らは半年くらいロンドンにいたと言われています。これによく似た大規模な上流階級の人口移動、交流現象は、日本でも、江戸時代の参勤交代などで見られたと言えるかもしれません。

ただ、その社交が展開されるためには、社交の場がまずつくられなければなりません。英語ではpleasure garden――私は社交庭園と訳しています――とよばれる施設ができていきます。もっとも有名なのは、いまはロンドンの地名になっていますが、ヴォクソールという社交庭園、それからラニラという社交庭園です。後者は円形の劇場があったことで有名な庭園です（これに似た円形の劇場としては、いまでもハイド・パークの南側にアルバート・ホールがあります）。それから、いまは地名としても残っていませんが、スプリング・ガーデンという、最初の社交庭園がありました。

こういった社交庭園がロンドンの各地にでき、地方からたくさん人が出てきて、社交庭園で社交をするようになります。社交庭園には、散歩道、遊歩道があって、大きな樹木が生えていて、池があって、ところどころにあずまやがある。そこで、ちょっとした演奏があったりする。レストランのようなものもある。上流の人びとは、夜のパーティはまた別ですが、昼間に着飾った恰好で、馬車を連ねてここにやってきて、そぞろ歩きをする。このそぞろ歩きをするというのが、社交のひとつの場面になります。

散歩、つまり歩くこと自体を目的として歩くということは、よく考えてみると、田舎ではあまり見られない、都会の生活文化のようです。そもそも、散歩とは何なのでしょうか。なぜ散歩するのかというと、遊歩道のある、きれいなところに行って何かするということもありますけれども、それだけではないはずです。古代のギリシャで、散歩をしながら哲学をするという話がありますし、京都には、西田幾多郎などが散歩した「哲学の道」もありますが、それは別の話かと思います。

われわれ庶民の日常レベルでいうと、にぎやかな商店街に出かけていきたいという気持ちがあります。学生に「(京都の繁華街)四条河原町になぜ行きたいのか」と聞くと、「ウィンドー・ショッピング」などという答えがかえってきますが、そういうところに行くときは、みな化粧をして、着飾って行きます。それは見られるということを前提にしているわけです。そして人を見にいく。実際にこの時代にイギリスに来た外国人が説明している文

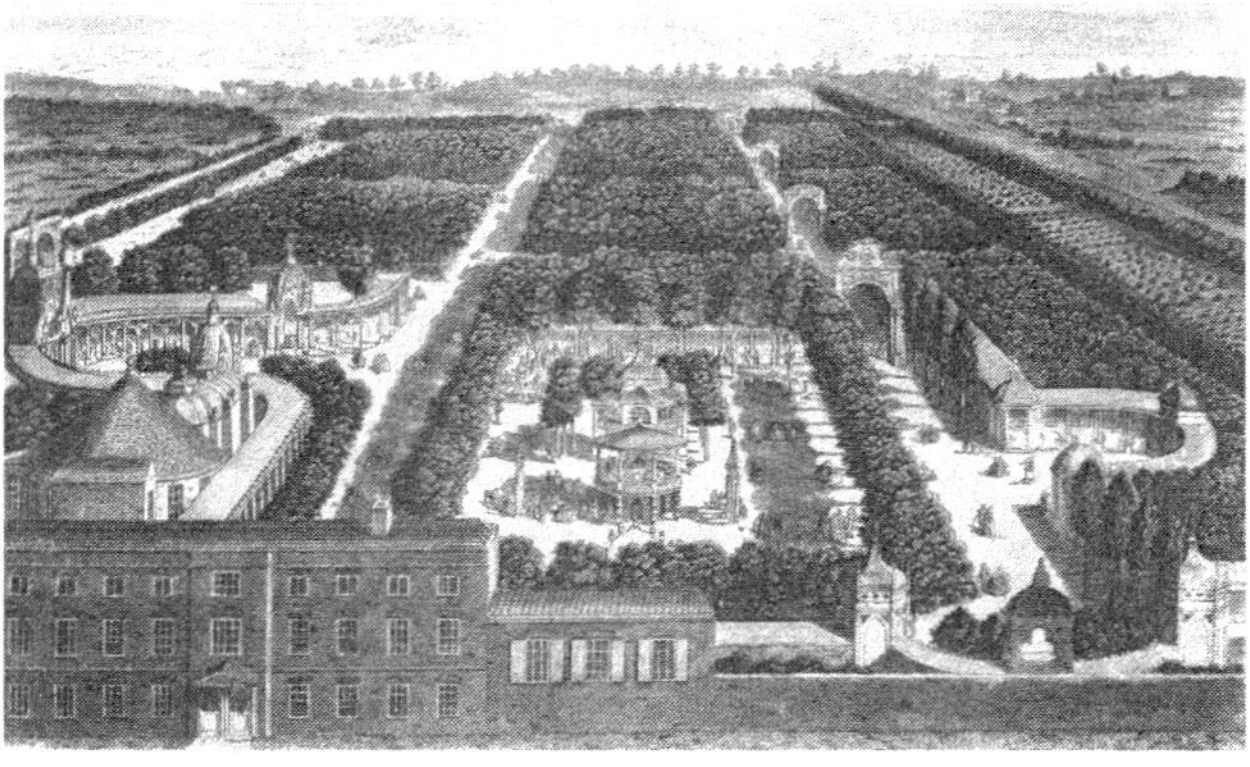

（上）ローランドソン「ヴォクソール社交庭園」（G. Rudé, *Hanoverian London, 1714–1808*, 1971, Secker & Warburgより）
（下）ヴォクソール社交庭園全景（同書より）

（上）ラニラ社交庭園（円形劇場外景）。仮面パーティがおこなわれる日（同書より）
（下）カナレット「ラニラ社交庭園の円形劇場」（同書より）

社交庭園内の飲食店でのパーティ（G. Rudé, *Hanoverian London, 1714–1808,* 1971, Secker & Warburgより）

章を読むと、社交庭園とは、「見たり、見られたりする場所」ということになっています。「見たり、見られたり」というのが、キーワードになっているのです。

都会の社交の一部である散歩というのは、見たり、見られたりするというのが大前提で、人を見にいく側面もあるけれど、見られにいく側面もあります。こういう独特の目的をもった社交庭園が成立します。たとえば、スイス・ローザンヌから来た青年ジャーナリスト、セザール・ソシュール（Cesar Saussure）は、故郷に送った一一通のイギリス書簡のひとつで、つぎのような報告をしています。

セント・ジェイムズ・パークから一直線にのびているペル・メルのプロムナードを

見た彼は、夏は夕方七時から一〇時まで、冬は、昼の一時から三時まで「思い思いに着飾った人びとが、ある者は人を見に、またある者は人に見られるためにやってくる」と記しているのです。当時、なお、郊外であったハイド・パークでも、彼は、馬車を連ねた上流の男女が、「互いに見たり、見られたりするために」集まってくるのを目撃します。

ソシュールよりはかなり後のことになりますが、華やかなラニラの社交庭園を見学したプロイセンの聖職者で、イギリスびいきであったカール・モリッツ (Carl Moritz) も、「おとぎ話の世界に迷い込んだ子ども」のようだと、そのめくるめく経験を表現しています。今様に言えば、生まれてはじめて行ったディズニーランドというところでしょうか。しかし、彼もまた、「あちらには互いに見たり、見られたりしたい人びとがそぞろ歩き、こちらでは音楽好きたちが、オーケストラに耳を傾ける」と記しています。

このように、社交庭園などを舞台として、ロンドンでの社交が一般的になっていくのです。あとでくわしく述べるかと思いますが、この社交は、ロンドン以外のところでも、社交専門の町が各地にでき、それが一八世紀の典型的なニュータウンのひとつのパターンになります。一番有名なのはバースです。ローマ人の温泉の遺跡がある町ですが、これが一八世紀に社交専門の都市として復活します。ロンドンの南にあるタンブリッジ・ウェルズなどもその典型でした。

それにしても、こうした一種の自己顕示、つまり、見せびらかしは、都会の文化の特徴です。田舎のジェントルマンにはこのような習慣はありません。だから、のちになるとバースのような専門の地方都市ができるとはいえ、社交界は圧倒的にロンドンで成立します。しかも、このことがまた、ロンドンを大きくしていくことにもなりました。

「社交季節」の経済的意味

そうなると、田舎で徴収された地代、つまり田舎の富が、ジェントルマンたちによってロンドンへ運ばれます。ロンドンは、生産活動もおこなわれましたが、本質的には、政治や社交の都市となりますので、経済的には、消費の場所です。社交シーズンのためにロンドンに滞在するジェントルマンたちは、結婚相手を探す、土地の売買の相談をするということももちろん兼ねてはいますが、全体としては地方の所得をロンドンで消費するという構造になっています。

社交シーズンはまた、ロンドンの流行を田舎へ持って帰るという、もうひとつの機能をも果たしています。これはジェントルマン階級の人間だけではなく、これについてくるお手伝いさんや、御者も流行を持ち帰ったのです。あらゆる階層の人が少しずつ来るという点も、参勤交代と共通です。

ロンドンの最新流行を地方へ持って帰る。そのことで、イギリスの消費文化は比較的全国一律になっていきます。社交は毎年おこなわれるので、早く全国へ広がっていくという特徴を備えていました。しかも、文化的価値として、ロンドンの流行が一枚上だという考えが生まれてきます。

ほんとうはこの考えがいつごろからできたのかを知りたいのですけれども、おそらくロンドンが大都会になっていくプロセスのなかで本格的にそうなっていくのだと思います。「ロンドン風を吹かす」、といった話は当時の文献にたくさん出てきますが、田舎のジェントルマンのお手伝いさんでも、ロンドンに行ったことのある人はいばっていて、「そんなことはロンドンではやらない」などと言います。戦後の日本で、何かにつけて、「アメリカでは」と言う人がいたのと同じかもしれません。

ほんらい、ジェントルマン的価値とは農村的なものでした。キツネ狩りにしても狩猟が前提になっていますから、農村的なものです。ジェントルマン的な生活文化が一番上等とされていたはずが、いつのまにか、都会の生活文化が優勢になり、ジェントルマンも都会の生活文化を取り入れるようになっている。ここが近世という時代の微妙なところだと思うのです。

もうひとつ、一七世紀に起きた重要なことは、ジェントルマンは行くけれども、貴族は

ロイズ・コーヒーハウス（経済情報の集中したコーヒーハウス）（D. Hill, *Georgian London*, 1970, Macdonald & Co. より）

あまり行かなかったコーヒーハウスという社交場ができたということです。コーヒーハウスは、社交界を構成した人にくらべると、もう少し庶民的で、都市の中流層がよく利用しました。もちろん上流の人も行かなかったわけではありませんが、王族はこういうところには行きません。このコーヒーハウスでも非常ににぎやかな交流がおこなわれますが、これはどちらかというと、純粋に都市的なものでしょう。

ともあれ、社交庭園とコーヒーハウスというふたつの特徴的な社交の場ができてきます。コーヒーハウスが生まれ、社交庭園ができ、そしてもちろん夜の社交会のための場所もできてきます。

18世紀のロンドン。中央はセダンとよばれたカゴ（Charles Whynne-Hammond, *Towns*, 1976, Bastfordより）

ロンドン社交季節が広がると、上流階級の人が泊まる宿泊施設ができて、地方から来た上流階級の人びとのためのサービス業が展開しました。馬車もみなが持ってくるわけではないので、貸馬車、いまでいうタクシーのようなものができてきます。さらには洗濯屋という仕事が成立します。このように、ロンドンには都市雑業、とくに女性、たとえば夫に先立たれた寡婦の仕事が増えてきます。地方で食べられなくなった女性でも、ロンドンに出れば、何とか食べていけるというような状況が生まれるのです。ロンドンが、とくに寡婦の多い社会となったのは、このためでしょう。

「都会」と「田舎」

都市の生活文化は、一七世紀の後半以降になると、ロンドン以外の地方都市に広がっていきます。この過程については、ある歴史家が、それまでの研究をとりまとめて、地方都市の「都市ルネサンス」(Urban Renaissance) という言葉をつくりました。これは非常に重要な問題だと思います。

一七世紀の後半になると、地方都市は発展をしますが、そのなかで特徴のある都市がいろいろ出てきます。イギリスはなにしろロンドン一極集中の国ですから、ロンドンにくらべると、近世を通じて地方の都市は小規模でした。一七世紀の終わりごろですと、ロンドンは五〇万人くらいですが、そのつぎの都市は、二万人程度です。

大きさで言えば問題外ですが、それでもさまざまな特徴のある都市ができました。港町リヴァプールも発展します。ブリストルは、古くから港町の機能をもっていて中世にロンドンについで人口の多い町であったこともあるので、順位で言えば中世のころほどではありませんが、奴隷貿易などの影響で大きな町として展開していきます。

こういった港町とはべつに社交都市ができてきます。先ほど述べたバースや、タンブリ

（上）バースで連日おこなわれた社交会（Charles Whynne-Hammond, *Towns*, 1976, Bastfordより）
（下）社交のため長期滞在する貴族、ジェントリが借りあげたマンション群（バース）。カゴは彼らの乗り物（P. Lane, *Georgian England*, 1981, Bastfordより）

ッジ・ウェルズもそうです。ウェルズという地名からもうかがえるように、鉱泉がでるところです。この町は、町全体が遊歩道になって、社交会のためのホールがもうけられて、そこで毎晩のように社交会が開かれたのです。

地方の比較的大きい都市では、一七世紀の後半から職業構成が変わってくると言われています。先に挙げた美容や、理容、健康に関わる仕事の人があらわれるのです。さらには地方都市にも弁護士が出現します。出版業が営まれ、食料品店でも、従来は小麦など基礎的な食品しか扱わない穀物屋くらいしかなかったのが、輸入食品店ができて、お茶や砂糖を扱うような店ができてきます。地方で草競馬など娯楽産業が出現します。

こういったことは職業分布を見るとよくわかります。職業が非常に複雑になっていって、サービス産業が増えてくるのです。それは都市の生活文化が展開していく大きな特徴のひとつです。一七世紀の後半になると、人口はロンドンとくらべると問題になりませんが、地方にも新しい文化ができてきます。職業分布は、一七世紀から多くの都市でつくられるようになった住所録（ディレクトリ）を使うと、比較的簡単におこなえます。こういう紳士録ないし住所録のようなものがつくられ、その都市の歴史が書かれたりするようになることも、都市ルネサンスの一部なのです。

こうして、生活文化面では、特定の時点をさすことはできませんが、一六世紀～一七世紀のあいだに、都市の生活文化というものが、優越するようになります。

英語にも「田舎者」という言葉があります。country bumpkin などと言いますが、英語には「都会者」という言葉はついにありません。日本では、戦争中に「疎開もん」という、太平洋戦争で田舎に疎開してきた人を馬鹿にした言い方が一時期あり、私の世代では、なお、それを経験した都会生まれの人も少なくないと思いますが、都会の人間を馬鹿にした言い方は、あまり一般的ではありません。「田舎者」はごく普遍的な言葉です。このことは、田舎のほうが文化的に価値が低いという無意識の意識を示唆していることになります。これは本来の農村のかたちをベースにした身分制秩序からすると、まったく逆転した話です。その逆転が、イギリスでは、一六世紀のあいだに起こったのだろうと考えられます。

一六、一七世紀、とくに一七世紀の終わりごろで言うと、ロンドンの人口は五〇万前後です。ロンドンはしばしばモンスターとよばれ、大きすぎるのでいやだという人がときどき出てきます。都会の文化が優越したと言いましたが、それと同時に都会嫌いが発生してくるのです。

都会嫌いとして知られる最初の人物がジェームズ一世です。スコットランド王としてエディンバラにいたのに、イギリスの国王になってロンドンに来てみたら、やたら地方から人が押し寄せてくる。都会が中心になっていくということは、農村的な社会秩序が崩れていくことを意味しますから、それを嫌がる為政者がいます。日本でも、人返しがおこなわれました。いまの中国もそうなのかと思いますが、ロンドンでは貧しい人のスラム的な家は取り壊せという、取り壊し令のようなものがたくさん出されますし、一軒の家に大勢で住んではいけないという法律が出たりします。

近世都市の諸類型

一七世紀終わりごろ、五〇万もの人口を抱えたモンスター、ロンドンに対し、ブリストルなど地方の首都六、七都市は、時代によって変わりますが、だいたい人口一～二万程度でした。日本の県庁所在地にあたる「州都市」は人口五、六〇〇〇人～一万人くらいでした。この州都市までが、法律上は都市、つまり都市当局が伝統的に置かれていました。自治が認められていた都市です。

マンチェスタはこうした法律上の都市にはふくまれませんでした。ですから、マンチェスタは、人がいっぱい集まって大きくなってきても、自治体はありませんでした。マンチエスタはマナーの一部、領主裁判権が生きている場所でした。それでは問題があるというので、人が大勢集まっているところを都市としたのは、一九世紀に入ってからのことです。

都市自治体法という法律の制定（一八三五年）から数年後に、マンチェスタは自治体の権利を獲得します。自治体は地方税を徴収する権利を持っていますから、行政の主体となれます。自治体がないと、人は集まっていても、都市としては動けないのです。

近代都市と中世都市とは別のもので、中世以来の特権を持っているような都市は繁栄していない、という説もかつてはありました。しかし結果的には、イギリスでは現在でも繁栄している都市のほとんどは、中世からの都市です。これはヨーロッパ大陸でもそうです。それは、都市には自治体がないと主体的に動けないということを示しています。リヴァプールとマンチェスタをくらべると、そのことはよくわかります。

リヴァプールは、見かけは農村みたいなところですが、中世から司教座がありましたので、シティとよばれてきました。自治権が認められているので、都市自治体がありました。このことが、あとの時代になると、たとえばガス灯をつけ、道路を整備し、水道をつけるといった事業をおこなえる前提になりました。しかし、そのころのマンチェスタにはそれをおこなう主体がありません。だから、両都市の発展を見ていくと、どうしてもリヴアプールが一歩リードしています。

この州都市は、だいたい一〇〇くらいあります。ケンブリッジ、オクスフォードも、このなかに入ります。

つづいて州都市の下に、マーケット・センターと言われるところが位置します。都市でもなく、地方のちょっとした中心で、定期市が開かれて、だんだん大きくなっていくところで、戦後の日本の歴史学では、このコースこそが近代都市への道だと言われましたが、じっさいには、マーケット・センターが大発展した例はあまり多くはありません。マンチェスタが発展したのは、特権がなく、自生的に発展していったからだ、ととらえる向きもあるのですが、これはかなり例外的です。

マーケット・センターは、時代によるばらつきはありますが、イングランドとウェールズで、五〇〇〜六〇〇はあったと言われています。人口が六〇〇人くらいいたらマーケット・センターと言われていますが、ただ消長が非常に激しいのが特徴です。かつて有力だったところでも、いまは何もないところが多くあります。街道で道路がふくらんでいて、そこにパブが一軒あるだけといったところが多いのです。

こうした都市の階梯のなかで、都市的な生活文化はどこまで成立するかというと、厳密には、ロンドンと一部の地方首都までということなのだと思いますが、広く見ても、州都市くらいまでしか成立しません。人口が五〇〇〇人だと、あまり匿名性はないかもしれませんが。

それぞれの時代のニュータウン

ところで、都市の歴史を見ていくと、それぞれの時代に特徴的なニュータウンと言えるものが発生します。一六世紀で言うと、ときどき市がたつ程度のマーケット・センターが、都市的な集落として登場します。ただ、一六世紀はロンドンが急速に拡大する時期で、それまで有力だった地方の都市はロンドンに繁栄を吸い取られていき、地方都市の衰退を嘆く報告がいくつも出されます。毛織物貿易も、ロンドンに集中して、ロンドンのギルド・ホールからアントワープへ輸出されるようになり、地方の港は衰退していきます。一六世紀イギリスの都市のあり方には、現代日本における東京への一極集中と同じようなところがあります。

一七世紀の後半になると、先ほど述べた地方都市のルネサンスが起こりますから、有力な地方都市は比較的元気が出てきました。バース、タンブリッジ・ウェルズなどの社交都市、それから時代は後になりますが、海水浴で有名なブライトンやスカーバラ、ブラッドフォードなどです。重商主義の時代に入り、軍港や造船業などが盛んになると、ポーツマス、プリマス、チャタムなどが発展し、さらには港町リヴァプール、ブリストル、ホワイトヘヴンなどのほか、産業都市としてはマンチェスタ、バーミンガムも発展していきます。これらが、一七世紀から一八世紀前半ごろのニュータウンです。この時期の典型は社交都市と港湾都市でしょう。

一九世紀のニュータウンは産業都市です。これは、都市のイメージがまったく逆転することを意味します。一八世紀までのニュータウンは、社交都市に典型的なように、公園があったり、遊歩道ができたりしましたので、都市はきれいで、楽しいところという一般的なイメージがありました。これに対して、少し先走って言えば、近代、つまり一九世紀のそれは、小説家ディケンズの言うように「コークス・タウン」のイメージになってしまうのです。もとからある都市も、時代にあわせて変貌はしていくのですが、ニュータウンは、その時代の特徴をストレートに反映していると言うことができます。それぞれの時代にそれぞれのニュータウンがあります。二〇世紀後半の典型的なニュータウンのひとつは、ロンドンのドックランズでしょう。

「楽しく、美しい」近世都市

一八世紀のロンドンや地方都市などのように、近世の都市は比較的きれいなイメージを帯びていました。商店街もできるので、都市は楽しいところというイメージができます。現在では、商店街があるか、ウィンドー・ショッピングができるかどうかが、都市の基準のひとつとも言えるでしょう。店のない町を想像してみれば、そんな面白くないものはありません。人は大勢住んでいるけれど店がない、マンションだらけになった地区が日本のあちこちで見かけられますが、そうしたところは、都会と言いながらコンクリートだらけで、寂しい感じがします。われわれが都会に憧れるのは、店があるからで、商店街ができるのは大きな意味があります。

一七世紀、一八世紀の都市が楽しいところ、明るいところというイメージだったのに対し、一九世紀はマンチェスタに代表される産業都市、工場の都市になってきます。こうして一九世紀の近代都市は、逆にイメージが暗くなります。煤《すす》けて、黒っぽいというイメージになるのです。ロンドンがいつ煤けたのかというのは難しい問題で、ジョン・イヴリンという日記作者は、一七世紀の後半にすでに、その著『イギリスの特徴』で、家庭から出る煙でロンドンは煤けてきたと記しています。ロンドンは、「地上の地獄のようだ。霧のロンドンは、石炭という火山の煙に覆われ、その有毒煙が、鉄を腐食させ、動産といえるものは何もかも駄目にする。すべてのものが煤けており、住民の肺を徹底的に冒す。咳や結核に苦しまない者とてない」と言うのです。

しかし、都市のイメージが、一般に、明るくきらびやかなものから、黒っぽいものになり、都市の雅《みやび》ではなく、汚さ、暗さ、貧困、そういうものが都市のイメージと結びつくよ

近代都市つまり工業都市のイメージは「黒」（Charles Whynne-Hammond, *Towns*, 1976, Bastfordより）

うになってきたのは、一九世紀です。先にみたように、近代都市を「コークス・タウン」と称したのは、かの一九世紀を代表する小説家ディケンズです。近世都市と近代都市は、そのイメージの点で対照的になっているのです。ロンドンそのもののイメージも、みごとに転換しました。

一九世紀初期のニュータウンは、工業都市ですけれども、後半になると、エベニーザー・ハワードという人物が出現して、ガーデン・シティの創設運動をはじめました。イギリス中部地方のレッチワースという町を皮切りに、イギリス各地にガーデン・シティつまり、田園都市をつくっていきます。道徳性の高い、娯楽施設のない、中産階級の上品な町になっていきます。これが一九世紀終わりごろのニュータウンの典型です。このガーデン・シティは日本でもつくられました。渋沢栄《しぶさわえい》一《いち》や東急の五島慶太《ごとうけいた》がつくった田園調布、阪急の小林一三《こばやしいちぞう》が手がけた箕面《みのお》などがその例です。

都市化と経済成長

ここまで、近世都市の展開を、人びとの生活形態の問題として扱ってきました。人びとの生活環境が、もとの領主や地主の支配する農村的なものから、都市的なそれへ徐々に転換されていったのです。

都市的な生活環境は、人びとの生活が「自給」から「購入」へと転換することを意味しています。このプロセスは「万物の商品化」（たとえば、ウォーラーステイン『史的システムとしての資本主義』を参照）ともよばれていますが、現在もなお、強烈に進行しつつあるプロセスです。農村で家族や地域共同体——具体的には教区でしょうか——がもっていたもの、やサービスの自給機能は、裏山で拾ってくる薪《たきぎ》から、子どもの衣服、保育や介護のサービスにいたるまで、あるいは出産から葬儀にいたるまで、すべて、家族や近隣で「自給」されるのではなく、「商品」として購入する必要が生じます。われわれのいまの都会生活では、燃料や衣服はもちろん、水さえ、水道水であっても、ペットボトルのそれであっても、「買う」ものです。レトルト食品やコンビニや外食産業の普及は、「毎日の食事の準備」というサービスをも、家族の自給するものから「買う」ものにしました。

しかし、ここで重要なことは、こうした変化にともなって、「商品化」されたモノやサービスは、経済統計上の「生産」となるという事実です。家庭や共同体の内部で自給されていたモノやサービスは「生産」には数えられません。専業主婦である母親が子育てをしても、それは「生産」ではありませんが、彼女が自分の子どもを人に預け、保育士として勤めて、他人の子どもの保育をすれば、保育サービスが生産されたことになります。つまり、「自給」は一国の生産統計に寄与しませんが、それが商品化されれば、「経済成長」に寄与したことになるのです。近世都市の成立以来、五〇〇〇年以上にわたる「都市化」のプロセスは、こうしてわれわれの生活行動を「経済成長」に結びつける役割を果たしてきたのです。

これまでの経済史では、近代的な経済成長の開始は、おおむね工業化の「もうひとつの顔」のように見られてきました。しかし、事を生活文化という観点から見れば、つまり、消費の側から見れば、成長を推進してきたのは、都市化そのものなのです。したがって、つぎの章では、「経済成長」という考え方について考えてみましょう。

第二章　「成長パラノイア」の起源

現代の病「成長パラノイア」

都会の生活文化になじむということは、消費生活が豊かになるということですが、豊かな消費生活を送るためには、当然、収入を増やさなくてはなりません。そこで、生産活動や労働という問題をどう考えるかが重要になってきます。

私の考え方では、近代化の過程は、欲しいものがたくさんあり、それを消費していると、ステイタスも上がり、労働意欲も高まっていくという筋道をたどると見ています。ただ、近代的な労働意欲がなぜ出てきたかということについては、マクス・ヴェーバーをはじめとした別の考え方があります。宗教上の強迫観念、つまりこの世の仕事でがんばらないと、救済されないかもしれない。だから働くようになるという考え方です。一理はあると思いますが、こうした考え方は、カトリックの信者のあいだにも、中世の社会にもありましたので、少なくとも、プロテスタント、とくにイギリスのピューリタンなどの思想に由来したとするヴェーバーの主張は、行きすぎでしょう。そうではなくて、ゾンバルト風に、とてもくだけた言い方をすると、きれいな服を着て、女の子に好かれたい、そのためには働かなくてはいけない、などと考えることもできるわけです。

ただ、生産的な労働がどうして出てくるのかという議論は、従来、基本的に資本主義の発達史の問題としてとらえられました。では、その資本主義とは何なのかというと、日本の伝統的な歴史学は、マルクス主義の影響を非常に強く受けていましたので、階級対立をベースにして考えられてきました。

階級対立の問題は現在もあって、小泉さんの改革がおこなわれてみると、格差が拡大しました。アメリカはアメリカン・ドリームが叶《かな》う、すばらしい社会で、大金持ちが大勢出て、野球選手も日本とは桁違いの年俸をもらえるという話があるかと思うと、ハリケーンに見舞われたら、保険にも入っていない、逃げる自動車もないし、貯金もないというアメリカ人が無数にいる、ということもわかってしまいました。公的な健康保険の受給者を拡大しようとするオバマ大統領の、当然とも見える改革には、ほぼ半数の国会議員が反対するという「変な国」でもあるのです。

階級というかどうかは別にしても、そういう大きな格差が発生するということは、深刻な問題として当然あるのですが、もうひとつわれわれがいま抱えている問題は、資本主義であれ、社会主義であれ、このまま行くと資源はどうなるのだろうかということです。中国人が全員、日本人と同じ食事をするようになったらどうなるかと、心配している人もいます。あるいは環境問題はどうなるだろうか、という問題があります。

一見したところ、これは資本主義に固有の問題ではなく、本質的に、経済成長の問題ではありります。しかし、みんなが、つねにそれまでより、よい生活をしなければならないという考え方が、資本主義の別の意味での定義なのではないかと、私は思っています。しかも、経済成長をひきおこすことが目的だとすれば、資本主義は社会主義よりも有効だということが、最近になって証明されました。けれども、各国が成長していく、つまり、世界システムのなかで、すべての地域が中核になるということを前提にして考えると、そのとき地球はどうなるだろうか、という問題が出てきます。

とすると、つねに成長しなければならない、成長率はゼロであってはいけない、マイナスは論外だという考えには問題がありそうです。祖父や曾祖父のころと同じ生活レベルではいけない、医学、数学、科学技術、芸術すべてが発達しなければならない、と、発達や成長が当然のこととして前提されているわれわれの社会ですが、それを全世界にあてはめれば、破綻《はたん》してしまいます。資本主義とそれを支える科学技術に、広く認められる成長信仰の問題がここにあります。

それにもかかわらず、経済学などはそういった根本問題にはあまりふれず、いかにしてとりあえず成長するかということばかりを考えているようにもみえます。人間は進歩・成長をしなければいけないし、前よりはよい生活になっていかなければいけない、こうした考えはいわば一種の強迫観念になっているので、私はこれを「成長パラノイア」という言葉でよんでいます。科学技術の世界も基本的に経済学と同じで、せいぜいが「持続可能な成長」などという言葉をスローガンにしているのですが、「持続可能な成長」というのは、究極的には、いかにも自己矛盾のようにも見えます。

こうした経済成長こそが目的であるとする見方、「成長パラノイア」とでもいうべき心性が、われわれの近代世界システムの基本理念であることはまちがいありません。他の世界システムとくらべて、近代世界システムは拡大や成長という概念を強く持ってきたと思うのです。では、こうした考え方がどこから出てきたか、それをいろいろな方面から考えてみたい、というのがさしあたっての話です。

昼寝と残業のどちらをえらびますか

ひとつは、昔から言われていることですが、「反転労働供給曲線」が消滅する。個人の行動の観点からすると、それがはじまりだろうと思っています。

この反転労働供給曲線とはどういうことかというと、ある日、日当が二倍になったら、人はどうするだろうということから考えます。単純な経済の論理からすると、労働も商品ですから、商品の価格が二倍になったら、喜んで人びとはより多くの労働を供給するはずです。給料がそれだけ上がるのだったら働きますと言って、人がたくさん集まってきそうですが、初期の重商主義の文献を見ていると、昔はそういう社会ではなかったようです。日給が突然二倍になったら、そのつぎの日は働きに来ない。今日の分は昨日もらっているから働かなくていいと言って、昼寝を選ぶ。つまり、高い給料をもらえるのだったら、ますます働いて生活をよくするというのはわれわれの考え方ですが、そうではない考え方の人が昔はたくさんいたということです。

むしろ生活レベルをフラットにしておいて、その生活レベルを維持するために労働をする。経済学の用語では「レジャー選好」ということになります。それまでの生活レベルを維持できるのであれば、それ以上働かない。現代社会でもそういう行動パターンの人はいると思いますが、社会全体はそれを許しません。近代世界システムのなかにいるかぎりは、少しでも生活水準を上げるために、より多く働くという考え方が支配的になっていくのです。

江戸時代の日本人もいちおうは金持ちになりたかったのだろうけれども、おおかたは、大工の息子は多くが大工で、商人の息子は商人であればよいと考え、親と同じように結婚をして、家督を継いで、子どもをつくって死んでいけばいいと思っていて、上昇しなければならないという発想は、それほどなかったのではないでしょうか。

私の専門ではありませんが、日本では成長信仰への変化は、幕末から明治のはじめごろに急速に起こったのではないかと思います。こうなってしまうと、豊かな経験をもつ先達として尊敬された江戸時代の老人とはちがって、老人は介護を要する社会のやっかいな「負担」とみなされていきます。つまり、前の代より必ず上にいかなければならないという「成長パラノイア」——進歩史観のことでもありますが——にとりつかれてしまった近代から見ると、高齢者は敬うどころか、乗り越えなければいけないものになります。近代社会が、中世封建社会を「克服」すべきだとした、近代主義の思想そのものが、ここにあらわれてくるのです。

給料が上がった翌日は喜んで寝て暮らすというパターンから、給料が上がったといってますます働くというパターンに変わっていくのは、いつのことだったのでしょうか。もちろん、問題が、集団心性に関わることがらですから、はっきりとした年代を特定することはできません。個人差も、地域差もありますが、大まかに言うと、重商主義文献の論調が変わっていくのは一七世紀だとされています。

もともとは経済の発展のためには低賃金が望ましいという考え方が、重商主義にはありました。つまり労働者は、痛めつけて食えないようにしておけば、必死に働きに来るけれども、食えるくらいの給料を与えてしまうと、働きに来なくなるという発想でした。それが、アダム・スミスの前後になると、賃金を高くすればするほど、人は働くと見るようになったのです。そういう経済理論の変化は、パンフレットを書いた理論家たちが勝手に言っているのではなくて、イギリスの社会の常識を反映しているものだとすると、収入が増えるならばますます労働を提供するというパターンになっていったのではないかと考えられるのです。

ある現代イギリスの経済思想史研究者は、「一八世紀中ごろまで、経済問題を論じるイギリス人は、異口同音に、賃金は低く抑えておくべきだと主張していた……おおかたの労働者は、治療不能な怠け者だから、食料価格はむしろ高いほうがよい、と見ていた」と言っています。たとえば、政治算術家ウィリアム・ペティの言葉を借りれば、「穀物がはなはだしく豊富なときには、貧民の労働は比較的高価であって、彼らを雇い入れることはほとんどまったくできない。ただ食わんがため、というより、むしろ、ただ飲まんがために労働をする者は、ことほどさように放縦《ほうじゅう》」なのだ（『政治算術』）というのです。

ところが、一八世紀になると調子が変わってきます。一七六〇年代に出た『食料価格高騰論』の著者、ナサニエル・フォースターになると、「貧民は、困窮させておけばおくだけ、勤勉になる」という学説は間違いである、としています。東部の毛織物工業都市、ノリッジで「一時的に需要が急に拡大したために賃金上昇が起こったとき」、たしかに、労働時間を減らした者もいた。けれども、突然の賃金上昇で労働意欲を失ったのは、一部の怠け者で、屑のような労働者だけであった」とも彼は主張しています。「真に勤勉な労働者は、勤勉に特別の報償が与えられたとき、働かなくなるということはない。……人をして生き生きと、活発に仕事をさせるもっとも確実な方法は、彼に労働の果実を味わわせることだというのが、一般原則だと言わざるをえない」というわけです。

ここに見えるのは、賃金の上昇分を消費の拡大に向けはじめた労働者の姿であり、それを「ぜいたく」として非難するのではなく、需要の拡大として評価する新しい経済理論の展開です。むろん、どの時代についても、さまざまな観察があることから、この転換が、正確にはいつ起こったのかという点については、なお、議論がなされていますが、一七世紀と一八世紀がちがうことは、ほとんどの経済思想史研究者の認めるところです。

近世の経済論が、何でもかでもアダム・スミスに流れこむとして、スミスを化け物のようにしてしまう、かつての日本の経済思想史研究の傾向には違和感がありますが、高賃金とそれがもたらす需要拡大の効果を明確に評価したという点では、たしかに、スミスの『国富論』(一七七六年)がひとつの到達点を示したと言えましょう。じっさい、スミスは、「労働の報酬が高いことが、……人間の勤勉を増進する。……自分の境遇が改善されるであろうという快適な希望があれば、……それが労働者を鼓舞し、その力を最大限に発揮させる」と主張しています。

労働の賃金は、高いほうがよいという意見のなかでも、はじめは、あまり高すぎる賃金は、際限のないぜいたくをもたらすという意味で、論者のあいだにも否定的な意見が多くありました。しかし、やがて、労働者の高賃金が、ぜいたくをもたらすとしても、それはすなわち、有効需要の拡大を意味しており、経済にとってプラスであるという考え方に急速に傾いていくのです。

では、そうした境目がなぜ一七世紀くらいに起こったのでしょうか。いままで話してきたように、一七世紀ごろには消費するものがたくさん出てきます。そしてよいものを身につけていると、上流に見られるという転換がありました。こうした変化は、上流階級のまねをすれば処罰されるというぜいたく禁止法の世界、つまり身分制度の社会では起こりえません。こうしたことが背景にあって、労働供給のパターンが変わっていくのではないかと思います。

主権国家のあいだの経済競争

国民経済レベルでの成長ということを考えてみましょう。イギリスの国民経済と言えるものは、おそらく近世のどこかで成立するのだと思いますが、それが正確にはいつだったのかということは、いろいろ議論のあるところです。

ローマ教皇と神聖ローマ皇帝のもとで、中世のヨーロッパは、国別にわかれているというより、ひとつのキリスト教世界だという考えがありました。たとえば一三世紀、一四世紀のヨーロッパの人間に、「あなたはどこの人ですか」と聞いても、「私はイギリス人です」と言ったとは思えません。住んでいる荘園なり教区なりの名前を言ったはずです。もう少し大きい括《くく》りで、と言ったら、「私はクリスチャンです」と、言うでしょう。ところが、宗教改革の流れが、おおかた国別に決まっていくということもあって、宗教改革をひとつのきっかけにして、イギリスとか、フランスとかいった主権国家のような考え方が強くなってきます。

主権国家が出てくると、主権国家の経済が発生してくるので、主権国家と主権国家がたがいに経済面で競争をするようになります。これが近代世界システムにおいて、ヨーロッパが中核になっていく大きなファクターとなります。近代世界システムでは、中核の部分が主権国家の集まりになっています。この点が、中華システムやインカ帝国のシステムなど他の世界システムと決定的にちがっているところです。

もう少し言うと、現代につながる近代世界システムは世界的分業体制であって、政治統合はされていませんから、世界政府もなければ、皇帝もいません。ヨーロッパの近代世界システム以外の世界システムは、基本的にみな皇帝がいます。ロシア帝国、中華帝国、インカ帝国もそうです。

　近世以後のヨーロッパにも、主権国家の国王はいました。では国王と皇帝のちがいは何かと言うと、いろいろな説明ができますが、ひとつは、皇帝は世界を支配する存在だということです。中華帝国は、実際には、アジアの一部を支配していたに過ぎません。けれども、自分たちが世界だと意識しているところすべてを支配しているのが皇帝で、エチオピアでも皇帝がいました。日本の場合、天皇をどう考えればいいのか、すぐには判定できませんが、基本的に、皇帝はその人の意識として「世界」を支配しているのに対して、国王は国を支配しています。皇帝は原則として、その世界にならぶものがいない存在です。対等なものを認めると皇帝ではなくなります。国王は原則として対等のものがたくさんいることを前提にしています。ヨーロッパの中核の主権国家は、絶対王政、つまり国王が支配している国の集まりになっています。ヨーロッパ全体の支配者と称する神聖ローマ皇帝も存在しましたが、近世になると力が弱くなっていくので、相対的に国家や国王の力が強くなっていきます。

ヨーロッパの対外進出

　では、なぜヨーロッパがアジアを支配するようになっていったのでしょうか（第三章参照）。

最近の歴史学の傾向として、アジアは昔からすごかったのだ、という説が多く出されていますが、少なくとも近代化の過程で、アジアがヨーロッパを支配したわけではありません。七度にわたって、大艦隊を率いてインドやアフリカ東岸にいたるまで航海した、鄭和《ていわ》の大遠征をはじめ、中国にはヨーロッパ以上の対外進出の力があったなどとも言われますが、明はまもなく海禁政策をとり、日本も鎖国をして、ともにひきこもっていきます。

アジアは対外進出をせず、なぜヨーロッパが出てきたのか。この問題は、じつは昔から答えるのが難しい問題とされてきました。しかし、世界システム論的には、いちおうの答えが出ます。

帝国というものは、ひとつの権力が世界全体を支配することになっています。中国で言えば皇帝が全体を支配していますから、皇帝は武力を独占し、他の者にはそれを持たせないように、簡単に言うと、刀狩りのようなことをしてしまうわけです。各地の有力者が武器を持ちあって、ということを原則として認めません。

だから、帝国型の世界システムはいくらあっても、帝国のなかはわりあい平和で、帝国と帝国のあいだで戦争はするかもしれないけれど、帝国内部では、少なくとも上部の権力が争いごとをおさえようとします。武器などは発達しないことが望ましいと考えられます。その意味で、帝国システムというのは、平和システムです。

ところがヨーロッパ世界システムというのは、世界帝国ではなく、政治的には統制がとれないシステムです。とくに中核には主権国家が並立しますから、これはたがいに武器の開発競争をします。中国で発明された火薬などが、ヨーロッパで発達するのは、このためです。それだけではなくて、武力を高めるためには、経済競争をしなくてはなりませんから、広く言うと、重商主義というかたちでおたがいの競争になっています。それが外に出ていく力になります。

そうしたことから、ヨーロッパでは武器の開発競争と、その背景としての経済の競争が生まれます。じつは、この競争から、成長という概念も出てくると思います。このことをよく示しているのが「政治算術」という近世独特の学問です。

博物学と政治算術——近世の学

近世特有の学問として、博物学がよく取り上げられます。地理上の発見で、新しい世界に行き、見たことのない動物、植物を持ち帰り、それを研究する。こういったことの主な担い手が、イギリスではジェントルマン階級でした。化石や、動物、植物の研究、地理、気候の研究をふくめて博物学と言われていましたが、一九世紀以降になると、それぞれ専門が分化していって、動物学、植物学、地理学などにわかれていきます。いま博物学は、大学の専門コースとしては、世界中を見てもほとんど存在しません。博物学が面白そうだということは、荒俣宏さんらのご活躍もあって、世間でよく知られていますが、政治算術は、この博物学の社会科学版です。

政治算術に似たものは、ヨーロッパ大陸でも、「カメラリスムス」などとよばれたものが出現しますが、いちばん発達したのは、イギリスです。この政治算術という名前はウィリアム・ペティが与えました。

ペティは、オリヴァー・クロムウエルの、いわゆるピューリタン革命時代に活動した、いささか怪しげな人物で、何者かよくわかっていません。宝石商であり、測量技師であり、クロムウエルのアイルランド征服についていって、アイルランドで測量をし、広大な土地を獲得します。彼の家系はランズダウンという侯爵家となっていきます。ランズダウン侯爵家というのは、二〇世紀はじめに日英同盟の交渉をおこなった外務大臣も出る有力な家系です。

このウィリアム・ペティが、「政治算術」という名前を発明しました。『政治算術』は岩波文庫にもはいっています。ただ政治算術の本当のもとをつくったのは、ペティの友人で、ジョン・グラントという人物です。彼は、『死亡表の観察』という本を出しています。

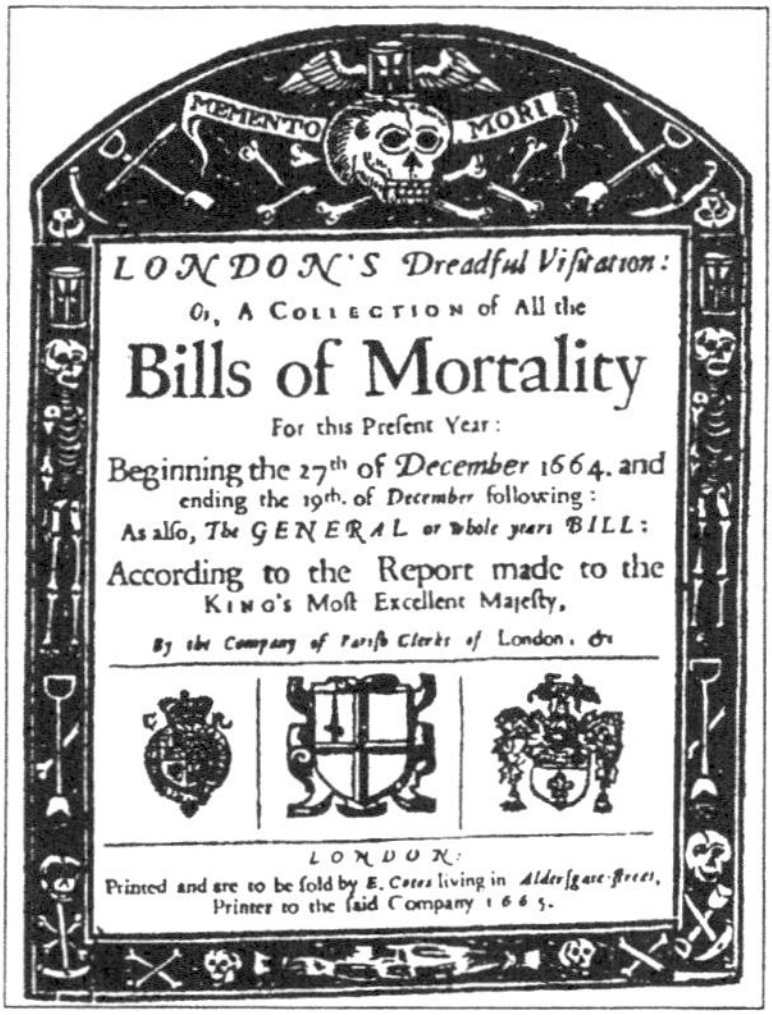

1665年度の『死亡表』。この年、ロンドンはペストの流行にみまわれた

「観察」というのは、近世、とくに一七、一八世紀に流行した表題で、一八世紀後半になると、「ピクチャレスク」とよばれた国内旅行・観光の案内書のタイトルに多用されます。政治算術書も、ペティ以前には、この名前をとっていたわけです。

『死亡表の観察』は、まさに「死亡表」というものを観察、つまり、研究したものですが、その「死亡表」とは、ロンドンでとられた、一週間ごとの死亡数の統計です。一六世紀末から一七世紀のはじめの、世紀の転換点のころから出てきます。

そのころ、ロンドンでペストがはやりましたが、ペストにはなかなかいい対処法がありません。青葉を燻《いぶ》して煙で追いだそうとした人たちもありますが、当然、効果がありません。経験的に危ないということがわかっていますから、逃げだすしかなかったのです。ただ、ロンドンでペストがはやっているとなると、田舎へ行っても嫌がられてしまい、集落に入れてもらえないということも報告されています。それでも、裕福な人たちは、逃げたり、仕方がないから、テムズ川にぼろ船を浮かべて暮らそうとしたりするのですが、うまくいかない。いずれにせよ、早く情報をキャッチして、早く逃げるのがいちばんということになります。そこで、ペストが発生したことをすぐにキャッチする方法として考えだされたのが、「死亡表」です。死亡統計をとっていて、どこかで死亡数が突然上昇しているのを見つければ、これはペストだろうということがわかり、逃げることができます。「死亡表」は、そのためにつくられました。

ロンドンとはどこのことか

少しだけ脱線になりますが、この「死亡表」に関連して面白いのは、ロンドンには範囲がないということです。東京都というのは範囲がありますが、歴史的に言うと、ロンドンは地図に描くことができません。どこまでがロンドンかわからない。ロンドンを統括、支配している人というのも、ごく最近までいませんでした。

中世にもロンドンの市長がいたではないか、と言われるかもしれませんが、それはシティ・オヴ・ロンドンの市長のことです。現在、われわれがロンドンとよんでいるところには、世界の金融街として知られているシティ・オヴ・ロンドンと、国会議事堂のあるシテイ・オヴ・ウェストミンスタという二つのシティがふくまれています。「シティ」ではなかったところも、むろん広大な範囲におよんでいます。シティ・オヴ・ロンドンの市長は、近代になるとまったくの名誉職で、一年に何回か大宴会を自分のお金で開かなくてはならず、なり手がないような職でした。東京都知事のような権限を持った人は、ごく近年までいなかったのですが、この背景には、ロンドンの範囲がはっきりしていないということがありました。地下鉄やバスを運行するロンドン交通局が考えているロンドン、水道局が考えているロンドンなど、それぞれのロンドンがありました。

こういったことがあったため、変な話ですが、ロンドンの歴史を書くときに、歴史家は、まず私の考えるロンドンの範囲はこうです、と言わなくてはなりません。その際、近世史でもっともよく用いられるのが、「死亡表の範囲」です。「死亡表」は人が集まって住んでいる範囲がとられている。伝染病のことを考えると、城壁であれ何であれ、法的に線をひいて、ここまでがロンドンなどというのでは意味がありません。現実に人がかたまって住んでいるところがロンドンだということになります。だから、地理的、生活史的な意味でのロンドンを具体的に考えるときは、「死亡表の範囲」が合理的なのです。ただ、それだからこそ、「死亡表の範囲」、つまり、ロンドンの範囲はしだいに変わっていきます。一九世紀の終わりごろには、ロンドン土木局というのができましたので、ここが定めた範囲が「ロンドン」とされることが多くなります。

とても厄介な話ですが、ここに、地方自治のイギリスと日本でのあり方のちがいが認められるようです。イギリスでは、人がかたまって住んでいるところに自治権が与えられ、自治体になっていき、地図のうえにすきまなく自治体の範囲が指し示されるということはなかったのだと思います。現在はちがいますけれども、もともとのイギリスには、日本のように中央の政府によってきっちり線で区切られているのではなく、どこに属しているのかはっきりしないような場所が多かったのではないでしょうか。

「政治算術」の成立

話を戻しますが、「死亡表」では、人びとの生活拠点になっている教区を単位として、それぞれの教区で、先週、何人が埋葬されたか、統計を集めてきます。死亡表を見ると、ある年に何人死んだ、どの週で何人死んだというのが出てきます。これを利用して、グラントは、人口を出そうとします。ペストがはやっているときをのぞけば、だいたい一定の比率で人が死ぬだろうから、そこから人口を割りだせると考えたのです。

一六世紀から一八世紀末までの、ほんとうの人口の変動は、先にふれた家族復元法が出てくる一九六〇〜七〇年代ごろになって、急速にわかるようになりますが、それまでは二

○世紀の歴史学でもわかりませんでした。長いあいだ、教会にある埋葬の記録と出生の記録からある程度の推定をおこなってきたのです。多くは、埋葬の数字をベースにして算出しますが、研究者によって係数が変わってきますから、高めに出す人、低めに出す人、推計値はいろいろありました。しかし、だいたいの傾向は同じでした。そういうことのはしりをグラントは、一七世紀におこなったのです。

とはいえ、人口をなぜ勘定しないといけなかったのでしょうか。「人は力だ」、「人は財産だ」、という考え方が「政治算術」のベースにあったからです。ただし、人といっても、なかには大貴族のように莫大な収入のある人もいるし、物乞いで暮らす人もいます。自分で生活できない人は、国にとって財産ではなく、マイナスであり負担と考えられ、大貴族は莫大な収入があるから、国の財産だと考えられました。

この大貴族に逃げられてしまうと、国としては困ります。ですから、近世には、出国管理が厳重におこなわれます。いっぽうで、この時代には入国管理はほとんどおこなわれていません。人が入ってくるのは、富が入ってくることを意味したからです。これが出入国にかんする近世の基本的な考え方です。ともあれ、収入によって人間に値打ちをつけて、値打ちのある者が多い国は豊かだ、値打ちのない者が多い国は貧しいと考えます。それでも全体に人口そのものは財産だ、国の力だという考え方がありますので、そのベースとなる人口を、イギリス、オランダ、フランス三つの国のあいだで比較します。そのうえで、たとえば、この三つの国が戦争を三年間おこなうと、それぞれの国はどうなるかということをシミュレイションする。それが「政治算術」というものです。そのはじまりがグラントでした。

ただし、この学問のジャンルが成立したのは、ペティがこれに「政治算術」と名前をつけたことによります。ペティ自身の「政治算術」の特色は、オランダ、イギリス、フランス三国の国力比較論、そしてその国力が、これからどうなっていくかという未来予測がつねにあったということにあります。

ヨーロッパ世界システムでは、相争う複数の主権国家が「中核」地域を構成しました。そのことと大きく関係しているのが、有名な「ペティの法則」です。計算をしてみると、一人あたりの国民所得は、オランダが圧倒的に高く、イギリス、フランスとつづく。人口は逆で、フランスがいちばん多くて、イギリス、オランダの順となる。オランダは一人あたりの所得が高い。だから、外国から人をよび、いろいろな仕事をさせることができる。

彼が考えたのは、ひとつの国の国民経済については、フランスのように第一次産業をベースにしている国がいちばん平均所得、ひいては福祉の水準が低く、イギリスのように毛織物工業をベースにした第二次産業の国が二番目で、オランダのように、金融、サービス業、海運業が中心の国の水準が断然高くなるということです。国民経済は進歩するにつれ、そのように変化していくというのが「ペティの法則」です。

これはペティが法則として考えたのではなくて、当時のオランダ、イギリス、フランスのつばぜりあいのなかで、現実の問題として考えた議論で、一種の現状分析であったわけですが、そこに未来予測がふくまれているのが面白いところです。と同時に、「金融と情報」の資本主義にこそ生きる道があるのだという「新自由主義」の立場と、「ものづくり」、すなわち、農業や工業など実物経済の重要性を主張する立場の対抗関係は、今日、ますます鋭くなりつつある問題でもあります。ペティにとっては、その問題はオランダ・イギリス・フランス三国の現状と近未来をどう理解するかということでもあったのです。

グレゴリ・キングのイギリス——貧民社会

イギリスでは、このペティよりも何十年かあとに、一六八八年のイギリスの状態を分析したグレゴリ・キングという人の政治算術が出されます。とても詳しいものであるうえに、当時の政治算術のレベルから見ると、非常に正確です。近世イギリスの経済史や社会史を学ぶ人間は、何にしろ、ここからスタートせざるをえないくらいです。

キングは上流階級、ジェントルマン階級の家紋を登録する役所の役人でした。ですから、上流階級のことは非常に詳しく書かれています。いっぽうで庶民のことはそれほど正確だったかわからないところもあるのですが、当時としてはずばぬけていたものだと言われています。人頭税という、個人にかかった税金の台帳などをもとにして、いろいろな係数をかけたりしていますし、自分の生まれ育った町で、実地調査もおこなっていて、税金の台帳とどのような関係にあるか調査したりしています。

ところで、キングの政治算術は、階層別に家族数が調べてあり、家族が単位となっています。家族の戸主、つまり、成人男子が自らのステイタスを持っていたのに対して、女性や子どもは家族の従属メンバーでしたので、直接社会につながるステイタスを持ちませんでした。彼女たちは、誰それの妻、誰それの娘、子ども、あるいはサーヴァントと言われ、お父さんが貴族であれば貴族の娘、大工であれば大工の娘とされました。このように、自然に、成人男性を戸主とする家族が何家族あるかということから、それぞれのランクごとに分析がすすめられるのです。

ここで言うランクは、いわゆる身分や爵位や職業が入り交じったものです。当時は、職業が、社会のピラミッドのなかに個人——ひいては、その家族——を位置づける媒介だったからです。乞食も職業として認められていますので、乞食も乞食というステイタスでした。このころの職業には、このような役割がありましたので、たとえば、歳をとって、現実には必ずしも就業していなくても、元の職業でよばれたりしていました。今日の「肩書き」のようなものだと言えます。女性には、独自のステイタスそのものがなく、まれに身分違いの結婚によって、ステイタス移動が起きたりしました。しかし、そんなことは一種のスキャンダルでもありました。

グレゴリ・キングが分析した一六八八年の名誉革命の年の表には、家族数が書いてあって、ステイタスを示す身分や職業が書いてありますが、そのつぎに、一家族あたりに何人の人間がいるか、ということが書いてあります。第一章でも述べましたが、ステイタスの高いほうから低いほうへ、家族構成員の数は減っていき、最後に浮浪者は家族を構成していないので、一人となります。そして、人口の半分以上は三人または三人半以下の家族になるので、ほとんどが、いわゆる単婚核家族の社会だったと想定されます。

彼の調査を見ると、人口の半分以上が庶民にあたるわけですが、この人たちの家計は平均値ですべて赤字です。さらに、イギリス国内の個々の家計を赤字、黒字にわけていますが、赤字の家計のほうがはるかに多い。国民の過半数が、赤字の家計のなかにいるという社会が成り立つのかというのは、社会史として面白い問題です。貨幣経済の枠内でいうと、こんな社会は成り立ちません。しかし、実際には、家をつくるにも、その辺で集めてきた材料を使い、野菜は住居となっている小屋のまわりでつくり、薪も拾ってくるという生活だから、成立していたのだと証明した論文もあります。燃料や食べ物はもとより、子育てのようなサービスまでが「商品化」され、現金がないと生活が成立しないのは、産業革命以後、現代につづく「都市化」した生活の特徴なのです。しかも、経済学でいう「経済成長」は、「商品化」された部分の経済についてのみ計算をしているので、「都市化」「商品化」によって、家族から自給能力が失われていったことは、計算に入れないのです。

それにしても、こういう社会でしたから、そこでは救貧が大事な問題になり、ある程度は上流階級から下層へ所得を移転しないと、全体として社会が成り立たないということになっていきます。それが、イギリス社会、あるいはイギリス・ジェントルマンに特徴的とされた、チャリティという行動規範をもたらしたものと思われます。支配階級としてのジェントルマンの不可欠な資質として、領民の保護者であることという「パターナリズム」の精神が強調されることになったわけです。

グレゴリ・キングの政治算術は、一六九五年ごろに最初に世に出ています。政治算術がいちばん盛んだったのは、じつは一八世紀です。さらに一九世紀のはじめに、さまざまな社会問題について著作を残したパトリック・カフーンという人物の有名な政治算術書も発表され、その後もつづきます。

「イギリスの人口は減少している」——人口論争

一八世紀に人口論争という激しい論争が起こります。イギリスの人口は増えているのか、減っているのかという大論争なのですが、減っているというグループのほうが、社会的なインパクトが強く、それに流されるかたちで世の中が動いていきます。増えているというグループもけっこういましたし、いまからみれば、こちらのほうが断然正しかったのです。しかし、イギリスの人口は減っていて、フランスの人口は多いから危ない、と危機感を煽《あお》るほうが優勢になり、そのために、たとえば出国者調査などをおこないます。人口が国力のもとだという発想からすれば、人が国を出ていくのは、国力を危うくすることだったからです。イギリスは、フランスと断続的に戦争をしていましたが、兵隊が集まらなくて苦労しています。兵隊を無理に集めると、船乗りがいなくなってしまう、農民がいなくなってしまう。イギリスは大英帝国を形成していくけれども、そういう意味でのマン・パワーの不足をつねに感じている国なので、人口論争のようなことが起こるわけです。

こういうなかで、実際に人口や経済力はどうなっているのか、ということを知るための学問として政治算術がおこなわれました。ただ、推計はどこまで論争してみても、推計でしかないので、最終的には、直接数えるという話になります。それが一八〇一年にはじまるセンサス（国勢調査）です。センサスはその後、一〇年おきにおこなわれますが、これにより、政治算術のあいまいな推計は意味を失い、消滅していきます。時代は、近世から、科学と技術を基礎とする近代、工業化の時代へと移行していくわけです。

一方で、分解した政治算術は、経済学、社会学など社会科学へとつながっていきました。ペティから労働価値説が生まれたという人もいます。経済学、統計学をはじめ社会科学が分岐していきますが、政治算術そのものは衰退していきます。そういう意味で、政治算術は、博物学と同じような近世特有の学問だったと言えるでしょう。

時系列統計の作成

政治算術には、これとは別に大きな特徴があります。政治算術書は、人口がどうなってきて、どうなっていくのか、いわゆる時系列のうえでの変化をおさえて、将来の人口を推計しようとします。ところが、おかしなことに、ロンドンの人口はどうなる、イギリスの人口はどうなる、という推計をすすめていくと、途中でロンドンがイギリスの人口を抜くということが起こったりします。困ってしまって、ここで世界が終わると言っている人もいるのです。

それはともかくとして、政治算術は、過去の人口変動からその趨勢《すうせい》を延長して、未来を数量的に予測するという、歴史学としてみると、画期的な思考法に行き着いています。このことは、ＡＤ、ＢＣといった歴史の年代表記、つまり暦とも、深い関わりをもっていますが、そのことには、つぎの章でふれたいと思います。

ともあれ、政治算術家たちは、聖書の見解と矛盾しないように気を使いながら、時系列的に数字をならべた表をつくっていきました。この時系列的な数表こそが、「経済成長」という概念と表裏一体のものだと私は考えます。「経済成長」という概念は、ヨーロッパを中核として成立する近代世界システムの基本イデオロギーだというのが、私の見方ですが、したがって、時系列数表もまた、ヨーロッパに誕生します。

反対に、中国、トルコなどの「帝国」経済には、成長という概念はなかったと仮定しています。こう言うと、中国史家は、中国にも成長という概念はあったと反論したくなるようです。しかし、私は、西洋のそれとはだいぶ質がちがうと思っています。「反転労働供給曲線」が消滅する状況ではないところでは、「成長」の概念は生まれにくいですし、算用数字のないところでは、時系列数表はまずないと思います。

そう思って、数字を使った表が、書物のなかでいつから出てくるのか調べたこともありますが。ついでに、グラフがいつごろから出現するかということも調べてみたいのですが、こちらは見当がつきません。いちばんグラフが使われそうな産業革命の研究書をたどっても、二〇世紀まではグラフが登場することはあまりないようです。

表というもの自体は、ローマの十二表法がありますし、シュメールあたりにも数表があるかもしれません。しかし、漢字やローマ数字のようなものを使っているかぎり、表は非常につくりにくい。中世の書物で、時系列表を見た記憶はありません。

表という言葉は、もちろんよく使われています。代表的なものは一七世紀はじめに書かれたフランシス・ベイコンの『ノーヴム・オルガヌム』です。一冊すべてが表の本です。本全体が、「一つ、……、二つ、……」と箇条書きになっています。しばらく後の重商主義の文献でジョージ・バークリー(George Berkeley)の『問いただす人』(川村大膳・肥前栄一訳、東京大学出版会、一九七一年)という、全巻、疑問文「〜は〜であるか?」でできている、とても風変わりな本もありますが、『ノーヴム・オルガヌム』は、すべて箇条書き、つまり表なのです。

ただ、こういった箇条書きではなくて、数字を時系列にならべた表、つまり折れ線グラフで描けるようなかたちのものにならないと、「経済の成長」の概念はほんとうに成立したとは言えないかもしれません。これがいつごろから出てくるのかというと、そのはしりが政治算術書のなかに、人口の長期変化というかたちで出てきます。

政治算術がもたらしたこと

こういう表が書けるようになってはじめて、国民経済の成長という考え方が、歴史的知見に裏打ちされたかたちで出てきます。成長こそは、何にもまさる至上命題であるという、今日の「成長パラノイア」が生まれたのです。そうなってはじめて、国民経済間の「競争」という見方も生まれてきます。

さらに、政治算術がもたらしたもうひとつの論点が、いわゆる「ペティの法則」でした。第二次産業を重視するイギリスより、第三次産業に比重のかかっているオランダのほうが、経済＝福祉水準が高いという議論です。

じっさいのイギリスは、このあと第二次産業、つまり製造工業でたいへん成功をおさめます。だから、ふつう、一八世紀末からの産業革命に成功したイギリスは第二次産業で有力になったと考えられてきました。イギリスは産業革命の故郷である、というのは、誰もが言うことです。しかし、二〇世紀後半、とくに最後の四半期になってイギリス経済の衰退が論じられるようになると、つまり、「成長」の競争に勝てなくなってくると、イギリス経済の本質は、工業にあったのではなくて、じつはシティの金融の力にあったのだという「ジェントルマン資本主義」論が出てきます。

二〇世紀の終わりから二一世紀にかけて、イギリス経済が衰退しているのかどうか、しているとすれば原因は何かをめぐる大論争が起こります。このことについては、この本の最後にややくわしく議論をします。ただ、その論争のなかで、イギリス経済の本質は何か——工業なのか、金融なのか、つまりマンチェスタなのか、シティなのか——ということが最大の争点になりますが、そうした議論の大前提は、政治算術にさかのぼるということを、ここでは確認しておきたいと思います。

第三章　ヨーロッパ世界システムの拡大とイギリス

中世とも近代ともちがう時代

前章では、政治算術という学問と、それに関連して、イギリスの歴史を貫いている経済の二重構造の話をしました。近世のイギリスに成長という概念が出てきたこと、そして経済は成長、進歩していかなければならないという「成長パラノイア」があらわれてきたということも、述べました。大阪の万博会場跡地にいまも残る「進歩橋」の名前が象徴するように、高度成長時代の日本人にも、パラノイア的に信奉された「進歩」や「成長」概念の起源をさぐるため、この章では、まず近代世界システムが成立するころの話をもう少し進めたいと思います。進歩信仰は、近代世界システムの基本的なイデオロギーだと考えるからです。

世界システム論の立場は、一国史の特徴である発展段階論をとりません。つまり、各国はばらばらに封建社会から近代資本主義社会に移行する。したがって、ある国は早く進み「先進国」となるが、別の国はおくれた「封建国家」に留まるという見方を拒否します。しかし、あえて時代区分で言うと、私がいちばん関心をもっているのは、近世という時代です。つまり中世が終わって、工業化が起こるまでの段階ということになります。

あらためて言うまでもないかもしれませんが、日本の西洋史では、近世という言葉はもともと使われていませんでした。京都大学には戦前に「最近世史」という講座が少しのあいだ置かれていましたし、私がはじめて就職をした大阪大学は近世史という講座をつくっていました。私はその講座に配属になりましたので、当時の主任教授に「近世史ってどういう意味ですか」と聞いたら、「近世史は、近代史と同じだよ」と言われました。「どちらも、英語では Modern で、日本語では、中世に対して近世、現代に対して近代と言っているだけ」と、わかったような、わからないようなことを言われました。

たしかに、Modern は Modern なのですが、英語でも、「近代初期」（Early Modern）という言い方で、後半の近代と区別はしています。ただ、一語ではそれが表現できません。しかし、日本史では近世という言葉を使っていますので、だいぶ前になりますが、フランス史の二宮宏之さんとドイツ史の阿部謹也さんと私で、歴史関係の百科事典の編集をしたときに、便利だから西洋史でも「近世」を使おうという話をしたことがあります。

近世という時代は、中世と近代のあいだにあって、その橋渡しをする、ひとつの移行期です。もっとも、歴史上いつの時代も、前後の時代の橋渡しであるわけですから、こんな言い方はナンセンスです。ですから、あまりそう言いたくはないのですが、近世には、中世とも、近代ともちがう何かがあるのも事実です。中世にはなくて、近世以後にあるものの見方のひとつが、成長信仰です。

近世人の発想——領土と時間と国力

近世に大きく変化する概念は、ほかにもいくつかあります。たとえば、時間の概念と空間、つまり領土の概念とがそれです。これらの概念の大転換をともないつつ、近代世界システムは展開していきます。時間のことは、アナール学派やE・P・トムソンの論文などでよく知られています。「神の時間」から「商人の時間」へという有名なテーゼです。「時間」は、神が人間に試練の期間として与えたものであるので、これを利用して利子をとってはならないという「神の時間」の概念が、宗教改革以後、逆に、「時はカネなり」という「商人の時間」にすり替えられるという話です。領土の領有権の問題については、のちにふれますが、これらの問題についても、政治算術書はさまざまなヒントを与えてくれます。

前章で述べたように、政治算術書では、国力の算定、それも時系列的に国力がどうなっていくかということを一番問題にしています。政治算術書では、国力の中心は人、人は力だという前提になっています。所得ごとに何家族ということで国力が測定されます。とにかく人口が国の力のもとであり、生産をする農民、あるいは兵士であっても、人がたくさんいなければならないということで、人口がどうなっていくのかという計算が、政治算術書の根幹になります。

国力を時系列的に測定するに際して、キリスト教の教義が前提にありますので、天地創造、あるいはいわゆる失楽園、つまりアダムとイヴが禁断の果実を口にして地球におろされてから、人間の歴史ははじまると考えられます。そうすると、天地創造の年に、地球の人口は二人だというところからはじまって、一七世紀のだいたいの世界の人口とをつながなくてはなりません。その数字は、イギリスの人口についてはかなり正確に推定されていますが、ヨーロッパの人口はかなり怪しいし、アジアやアフリカはまったくわかっていない、でたらめなものですから、全体にはいいかげんな統計です。それにしても、現在では対数を使えますから、比較的簡単にいきますが、対数という概念は当時出てきたものでまだ使えませんので必死で表をつくって計算していきます。

そこに暦、つまり年代をどう測定するかという問題が出てきます。政治算術書では非常に特殊な年代の測定の仕方がされています。

一般に日本ではADとBCを学生に教えますが、BCは英語です。学生にドイツ人はBefore Christとは言わないというと、とても驚かれてしまいます。AD (Anno Domini) はラテン語なので、ヨーロッパ中で使います。

なぜ、ADはラテン語で、BCは英語なのでしょうか。中世に歴史のようなものが書かれるようになったとき、歴史を書く人のほとんどは修道院の修道士でした。修道士は当然ラテン語で書きます。そして修道士は、キリスト生誕以後の話しか書きません。キリスト生誕以前の話は、すでに聖書に書かれているからです。聖書とちがうことは書けませんから、聖書以前のことは書きません。だから彼らにとっては、キリスト以後、ADだけで歴史がかたづいていました。ただし、キリスト教には、最後の審判（ドゥームズディ）というものがあります。ですから、天地創造というはじまりと終末のある歴史観だったわけです。

ところが、政治算術のころになると、宗教改革も終わっていて、主権国家も成立しています。そうすると、国語が成立するようになります。いわゆる俗語の世界です。英語やイタリア語などが生まれ、書物もそういう言葉で書かれるようになります。一六世紀の終わりごろから一七世紀の初めごろにイギリスで出された本の多くは、ラテン語版と英語版の両方が出されています。先に挙げたフランシス・ベイコンの『ノーヴム・オルガヌム』などは両方の版が出ています。

それと同時に、キリスト以前のことがタブー視されなくなり、聖書以前にも言及するようになりました。その場合、聖書以前の年をどのように数えるかが問題になってきます。政治算術書は、世界年（Anno Mundi）という年号をつくり、聖書の天地創造を元年として、その年、つまり世界年元年の世界人口はアダムとイヴの二人というところからはじまります。

しかし、聖書を読んでいくと、途中でノアの大洪水がありますので、このことを計算に入れる必要があります。ノアの大洪水は世界年でいうと、何千年かになるのだと思いますが、そのときに、世界人口は八人に逆戻りする。そうなると、ノアの大洪水元年というものも考えられるし、そこから暦をはじめるものもある。そうしたノアの大洪水から何年目と、世界年の何年目ということが同時に書かれています。ノアの大洪水のときが八人で、現在までの変化を、いかに数学的に納得できるように書くかということを一生懸命考えます。

けれども、ここまでの話であれば、紀元前のことを扱うようになったといっても、聖書の世界から離れていません。天地創造からはじめるか、ノアの大洪水からはじめるか、どちらにしてもスタートのポイントがありますし、聖書の記述をいかそうとしています。歴史がはじまりから現在、未来に向かって流れていて、最終的に終末を迎えるという歴史観です。

しかし、われわれの使っているBCは、これとはまったくちがう原理です。つまりキリストの生誕を起点にして、逆向きに方向を取っているので、過去の歴史は無限に広がるという恐ろしさがあり、天地創造の前はどうなっていましたか、ということが尋ねられるよ

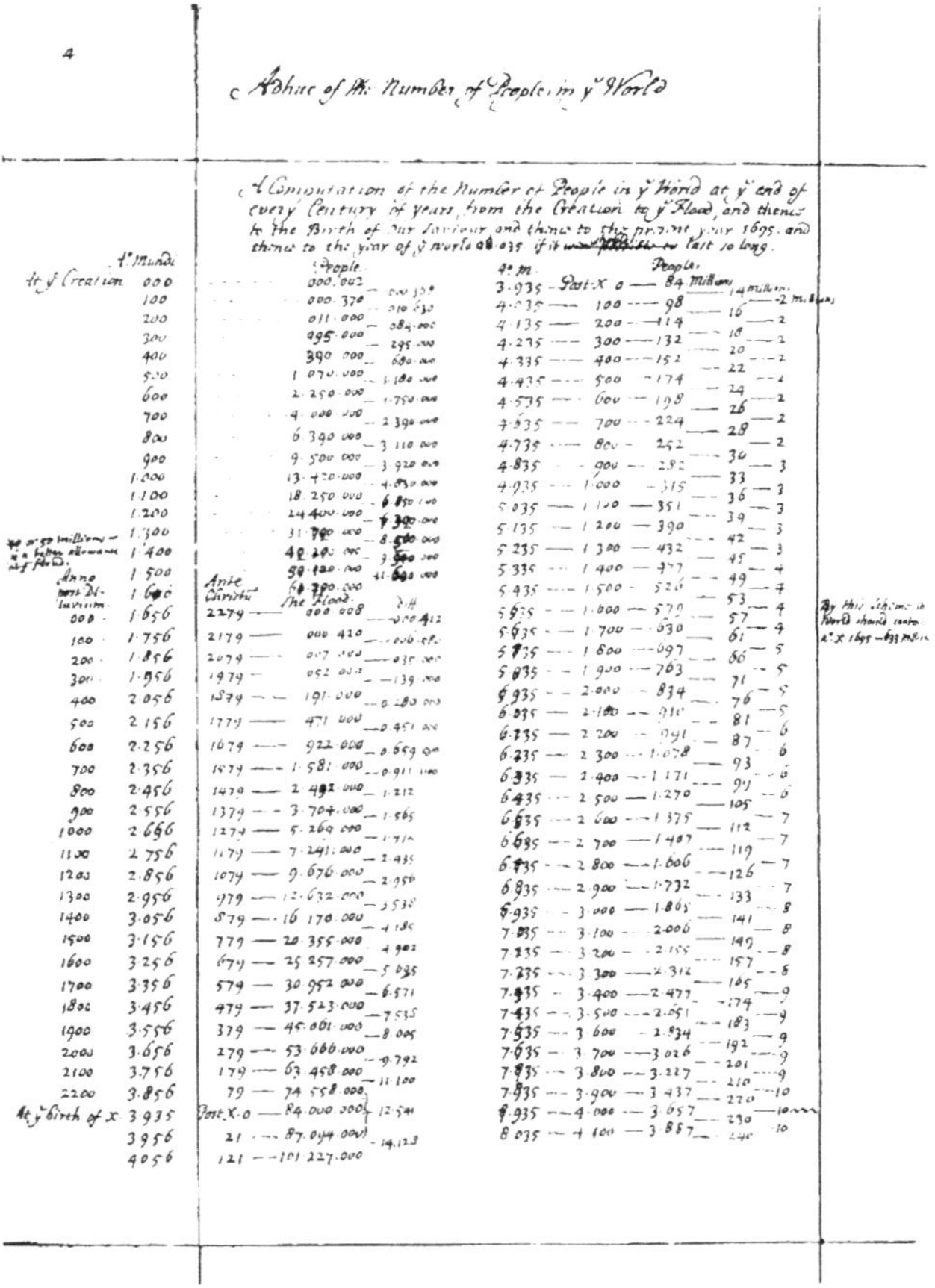

4

Adhuc of the Number of People in ye World

A Computation of the Number of People in ye World at ye end of every Century of years, from the Creation to ye Flood, and thence to the Birth of our Saviour and thence to the present year 1695. and thence to the year of ye world 8.035 if it should last so long.

	A° Mundi	People	
At ye Creation	000	000.002	000.358
	100	000.370	010.630
	200	011.000	084.000
	300	095.000	295.000
	400	390.000	680.000
	500	1.070.000	1.180.000
	600	2.250.000	1.750.000
	700	4.000.000	2.390.000
	800	6.390.000	3.110.000
	900	9.500.000	3.920.000
	1.000	13.420.000	4.830.000
	1.100	18.250.000	6.150.000
	1.200	24.400.000	7.390.000
40 or 50 millions is a better allowance at ye Flood.	1.300	31.790.000	8.580.000
	1.400	40.370.000	9.800.000
	1.500	50.170.000	11.600.000
	1.600	61.790.000	

Anno post Diluvium	A° Mundi	Ante Christi	People	Diff
000	1.656	2279	The Flood 000.008	000.412
100	1.756	2179	000.420	006.580
200	1.856	2079	007.000	035.000
300	1.956	1979	052.000	139.000
400	2.056	1879	191.000	280.000
500	2.156	1779	471.000	451.000
600	2.256	1679	922.000	659.000
700	2.356	1579	1.581.000	911.000
800	2.456	1479	2.492.000	1.212
900	2.556	1379	3.704.000	1.565
1000	2.656	1279	5.269.000	1.972
1100	2.756	1179	7.241.000	2.435
1200	2.856	1079	9.676.000	2.956
1300	2.956	979	12.632.000	3.538
1400	3.056	879	16.170.000	4.185
1500	3.156	779	20.355.000	4.902
1600	3.256	679	25.257.000	5.695
1700	3.356	579	30.952.000	6.571
1800	3.456	479	37.523.000	7.535
1900	3.556	379	45.061.000	8.605
2000	3.656	279	53.666.000	9.792
2100	3.756	179	63.458.000	11.100
2200	3.856	79	74.558.000	12.541
At ye Birth of X	3.935	Post X 0	84.000.000	
	3.956	21	87.094.000	14.123
	4.056	121	101.227.000	

A° M.	Post X	People		
3.935	0	84 Millions	14 millions	2 millions
4.035	100	98	16	2
4.135	200	114	18	2
4.235	300	132	20	2
4.335	400	152	22	2
4.435	500	174	24	2
4.535	600	198	26	2
4.635	700	224	28	2
4.735	800	252	30	3
4.835	900	282	33	3
4.935	1.000	315	36	3
5.035	1.100	351	39	3
5.135	1.200	390	42	3
5.235	1.300	432	45	4
5.335	1.400	477	49	4
5.435	1.500	526	53	4
5.535	1.600	579	57	4
5.635	1.700	636	61	5
5.735	1.800	697	66	5
5.835	1.900	763	71	5
5.935	2.000	834	76	5
6.035	2.100	910	81	6
6.135	2.200	991	87	6
6.235	2.300	1.078	93	6
6.335	2.400	1.171	99	6
6.435	2.500	1.270	105	7
6.535	2.600	1.375	112	7
6.635	2.700	1.487	119	7
6.735	2.800	1.606	126	7
6.835	2.900	1.732	133	8
6.935	3.000	1.865	141	8
7.035	3.100	2.006	149	8
7.135	3.200	2.155	157	8
7.235	3.300	2.312	165	9
7.335	3.400	2.477	174	9
7.435	3.500	2.651	183	9
7.535	3.600	2.834	192	9
7.635	3.700	3.026	201	9
7.735	3.800	3.227	210	10
7.835	3.900	3.437	220	10
7.935	4.000	3.657	230	10
8.035	4.100	3.887	240	10

By this scheme ye World should contain A° X 1695 — 633 millions

左から、「ノアの大洪水」年、「世界年」、「キリスト起源」。下から３行目が「キリスト起源」元年。左右どちらの表も「キリスト以前」（BC）の概念ができているが、「ノアの大洪水」以前にさかのぼるのを躊躇しているようにみえる。

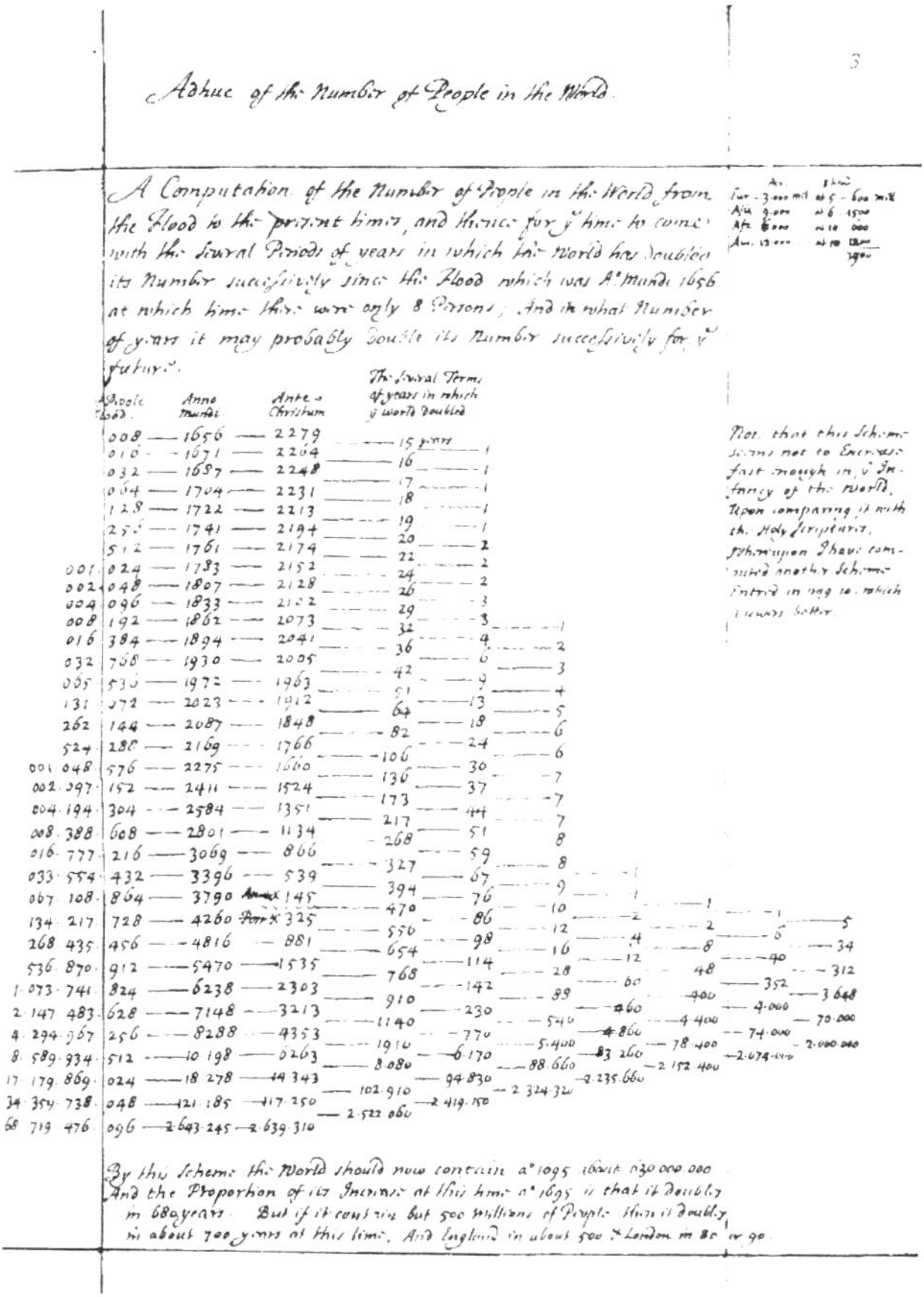

3

Adhuc of the Number of People in the World.

A Computation of the Number of People in the World from the Flood to the present time, and thence for ye time to come with the several Periods of years in which the World has doubled its Number successively since the Flood which was A° Mundi 1656 at which time there were only 8 Persons; And in what Number of years it may probably double its Number successively for ye future.

People	Anno Mundi	Ante Christum	The several Terms of years in which ye world Doubled
008	1656	2279	15 years
016	1671	2264	16
032	1687	2248	17
064	1704	2231	18
128	1722	2213	19
256	1741	2194	20
512	1761	2174	22
001.024	1783	2152	24
002.048	1807	2128	26
004.096	1833	2102	29
008.192	1862	2073	32
016.384	1894	2041	36
032.768	1930	2005	42
065.536	1972	1963	51
131.072	2023	1912	64
262.144	2087	1848	82
524.288	2169	1766	106
001.048.576	2275	1660	136
002.097.152	2411	1524	173
004.194.304	2584	1351	217
008.388.608	2801	1134	268
016.777.216	3069	866	327
033.554.432	3396	539	394
067.108.864	3790	145	470
134.217.728	4260	Post 325	550
268.435.456	4816	881	654
536.870.912	5470	1535	768
1.073.741.824	6238	2303	910
2.147.483.628	7148	3213	1140
4.294.967.256	8288	4353	1910
8.589.934.512	10.198	6263	8.080
17.179.869.024	18.278	14.343	102.910
34.354.738.048	121.185	117.250	2.522.060
68.719.476.096	2.643.245	2.639.310	

Note that this Scheme seems not to Encrease fast enough in ye Infancy of the World, Upon comparing it with the Holy Scripture, Whereupon I have computed another Scheme Entred in pag 10 which I reckon better.

By this Scheme the World should now contain a° 1695 about 630 000 000 And the Proportion of its Increase at this time a° 1695 is that it doubles in 680 years. But if it contain but 500 millions of People then it doubles in about 700 years at this time, And England in about 500 & London in 80 or 90.

政治算術家グレゴリ・キングによる世界人口の推計
左から、「世界人口」、「世界年」、「キリスト起源」、「人口倍増に要した年数」。「世界年」は、聖書の「天地創造」から始まる。その年、人口はアダムとイヴの２人。しかし、世界年1656年に「ノアの大洪水」があり、人口は箱船に乗ったノアー族の８人となる。

うになります。ＢＣは暦学の大発明で、歴史哲学上は、これより大きな革命はないと言えるほどのものだとする人もいます。

政治算術書にもBefore Christと書いてあるものもありますが、「世界年」何年としていたり、「ノアの大洪水」から何年目という暦を使ったり、といった具合ですから、その点で、政治算術は非常に中途半端と言えます。

そういった大きな意味での時間の枠組みが、かなり中途半端であるというところは、いかにも近世的だと思いますが、そのなかで、時間は神のものだという考え方から、時間も人間のもので、それを利用して利子をとってもいいというようにしだいに変わっていくのだと思います。近世では、時間の観念も中間的、移行期的でした。そうしたなかで、前章に述べたような、時系列統計がつくられ、成長の概念が出てくるのです。

地球は誰のものか――領有権の問題

もうひとつ、地球は誰のものか、という厄介な問題があります。キリスト教の基本的な考え方では、地球も、神がアダムとイヴに与えたものであって、神のものです。ところが、神は、アダムとイヴに地球を与えましたが、西洋の中世、近世、とくに近世の常識では、既婚の女性の財産権は認めていませんから、地球は一般に「アダムの遺産」として知られるようになります。

では、「アダムの遺産」は誰が管理しているのかというと、これは神の使徒であるローマ教皇が管理していることになります。一四九二年にコロンブスがアメリカを「発見」したとき、翌九三年にはローマ教皇アレクサンデル六世を仲介者として、スペインとポルトガルで「アダムの遺産」を分割するということをおこないました。翌年、トルデシリャス条約で境界線をずらしたということも知られていますが、重要なことはそのときには、ローマ教皇はもう入っていないということです。

地球が「アダムの遺産」であるという建前は必要ではあったけれども、一度分割をおこなってしまえば、教皇は関係がなくなって、世俗の権力の力関係で決まっていくという、そのことが翌年の境界線をずらしたということにあらわれていると思います。

それからあとの領土権の問題はどうなっていくのか、とくに、(ヨーロッパから見れば「新世界」である) アメリカは誰のものなのか、という論争が長くつづいていました（この問いにまつわる問題は、川北稔『アメリカは誰のものか』NTT出版、二〇〇一年、および Ken MacMillan, *Sovereignty and Possession in the English New World: The Legal Foundations of Empire, 1576–1640*, Cambridge University Press, 2006 を参照)。

実態は軍隊を派遣して、住民を送りこんで、定住したほうが勝ちという実力主義になっています。ただ、建前はいろいろあって、たとえば、地球は「アダムの遺産」だから、管理者の許可を取らないといけないということがありました。もっとも、現地人の許可という発想はありませんでした。日本も教皇分界線ではポルトガルの勢力範囲に入れられていましたが、われわれの先祖は、そんなことは知る由もありませんでした。現地の人間は関係ないけれども、ローマ教皇の許可をとりあえず取らないといけないという話だったのですが、そのあとになると、ほんとうの実力主義、実効支配かどうかという話になっていきます。

「先に旗を立てた者の勝ち」

南アメリカは、そのほとんどをスペインが支配して、ブラジルだけがポルトガル領になりました。北アメリカも、トルデシリャス条約の理屈ではスペイン領であったわけですが、スペイン人は北米にはあまり関心を持たなかったようです。そこまで手を広げる「力がなかった」というのが通説ですが、私は、むしろ、中・南米ほどには魅力がなかったのだと思います。ともあれ、南も北もアメリカはスペインのものという大原則は、コロンブスがアメリカに行ったということが前提になって成立しました。いわば、アレクサンデル六世は、「先に旗を立てた者の勝ち」という領土観にもとづいて、領有権を決めたのです。南極や月に、どの国が先に旗を立てるかは、のちの時代に問題になりました。先に旗を立てるというのは、昔から新しい土地を発見したときに、領有権を主張する原理です。先に来たもののもの、というのであれば、もちろん現地の人間が先なのですが、ヨーロッパ人の論理では、現地人はかえりみられません。コロンブスがアメリカを「発見」し、そのスポンサーは、偶然スペインの王室でしたので、南北アメリカは、スペイン領になったわけです。

当時の冒険家、探検者は現在のベンチャー企業のようなもので、計画書を出して、スポンサーを求めていました。コロンブスはいろいろなところに支援を求め、イギリスの王室も支援を表明したのですが、手遅れでした。大航海というのはそういうかたちで展開していくので、本来は、無国籍的なものであったのに、結果は、主権国家の競争に大きな意味を持つことになったのです。

膨張するヨーロッパ世界システム、ひきこもる中華帝国

ヨーロッパ、少なくとも西ヨーロッパ全体は、このようなかたちで大航海を進めていました。近代世界システムというものは、成長パラノイアに取り憑かれていて、経済成長だけでなく、地理的にも、つねに拡大することをめざしました。ただ、地理的な拡大欲は経

済上の「成長パラノイア」とはちがって、モンゴル人も持っていましたし、ローマ帝国もそうだったかもしれません。それ自体は新しいことではないのですが、ヨーロッパ人が大航海をして、アメリカを発見して、アジアに来たという、この事実は動かしがたいのです。

近年は、中国やインドなどアジアのめざましい経済発展を背景にして、アジア経済史の一貫性を主張する研究が盛んになっています。ただ、現状はそうだとしても、近代世界システムはヨーロッパ人が主導権をとってつくったのだ、という点を無視するわけにはいきません。これまでを否定してしまうと、妙なアジア事大思想になってしまいます。

では、現代のアジア経済が非常に活発だというのは、歴史学的にどう考えられるのでしょうか。従属理論派として知られたアンドレ・フランク（Andre Frank）の表現を用いれば、「欧米の経済発展の肩にのって、東アジアの経済発展がいまある」のです。さらに言えば、イギリス産業革命などを起点にした、かつての西ヨーロッパの経済発展のつづきを、いまアジアがおこなっている、と私は考えております。

つまり、生産や富や成長の概念といった根本的な部分は、ヨーロッパ世界システムから現在も変わっていないということです。自立した経済圏のように見えたかつてのソ連圏が、ヨーロッパ世界システムの一部にすぎなかったように、いまの日本や中国や韓国も、この世界システムの外にいるわけではなく、したがって、われわれの生産や富や成長についての概念も、ヨーロッパ起源のものだということです。ヨーロッパ的な基準で、中国も経済発展をしていると言えるし、インドも、そういう意味で経済発展をはじめているのだと思います。もしアジアの独自性、自立性あるいはアジア経済のすごさを、歴史学的に証明しようとするのであれば、まず現在のアジア経済は、これまでのヨーロッパ経済とは本質的にちがうことを説明しなくてはなりません。そしてその起源が、過去に繁栄していた、ヨーロッパ人が来る前のアジアにあったということが言えれば、アジア経済史の新しい時代を切り開けると思うのですが、いまのアジアは経済発展をしているので、じつは近世の昔からすごかったのだという議論は論理的にもどうかと思いますし、歴史学的でないと思っています。

ヨーロッパの近代世界システムについては、そのようなことを考えておりますが、それでは、なぜヨーロッパは対外発展をしたのでしょうか。前章でも解説しましたが、ここでもう一度ふれておきたいと思います。

中国は、鄭和の大規模な遠征がありますが、すぐ海禁政策をとり、日本も鎖国をします。なぜ東アジアはひっこみ、ヨーロッパは出ていったのか。これはまさに、ヨーロッパ(近代)世界システムそのものの性格です。システム全体の政治的統合はおこなわれずに、経済的な分業体制になっているということがポイントです。しかも、その「中核」となった西ヨーロッパは、主権国家が並列し、競い合う状況になりました。

これに対して、たとえば中華システムというのは、中国が圧倒的な存在になっていて、中国の支配者は、歴代、「皇帝」となります。先ほども述べましたが、概念的には、皇帝は世界の支配者、自分たちが世界と思っている範囲の支配者です。インカ帝国も、皇帝を名乗るのはそういうことです。そう考えると、近世では、ロシアも、ツァーリをどう訳すのかというのは難しい問題ですが、一般には帝国と考えられていますし、オスマン朝も帝国と考えられています。西ヨーロッパ以外には、帝国でない大きなシステムはありません。

帝国システムは、皇帝、つまり中央が政治的な支配をし、武力を独占することになるので、基本的には内部で競争が起こらないようにおさえられます。ところが、西ヨーロッパは主権国家が並立していて、それを政治的におさえる権力がありませんでした。神聖ローマ帝国はもともと力があまりなかったうえに、近世になると急速に衰えてきます。ローマ教皇庁はある種、別のかたちで力があったのでしょうが、これも近世になると分裂していってしまいます。こうして主権国家が並び立ち、競争することになります。競争の手段は、いわゆる重商主義です。その経済力を用いて、最終的には軍事的な競争をする。そのなかから、西ヨーロッパでは、武器をはじめとする戦争の技術がどんどん発展していきます。中国で発明された火薬が中国で発展せず、ヨーロッパで発展したことはこのことと関係があります。こうして発展した武器を持ったヨーロッパ人がアジアに進出したのです。世界システム成立のプロセス、世界システムの特質、近代世界がなぜヨーロッパ世界になったのかは、だいたいいまのような話から説明できると思います。

かつては、教科書などでは、「近代初頭の三大事件」としてルネサンス、宗教改革、それと当時の言い方でいう「地理上の発見」が取り上げられていました。しかし、この三つのなかで、ルネサンス、宗教改革の研究者は大勢いましたが、「地理上の発見」を研究対象とする歴史家はかつてはほとんどいませんでした。真面目に取り上げるべき問題とは思われていなかったのです。

それで、岩波書店から最初の『講座世界歴史』が出たときに、私がこの問題を書かせてもらうことになりました（「ヨーロッパの商業的進出」『岩波講座世界歴史16』、一九七〇年）。コロンブスが何年にアメリカに着いたといった事実関係は簡単に書けます。問題は、なぜヨーロッパは対外進出をし、アジアは出ていかなかったのかということです。言いかえると、近代世界はなぜ、中華世界システムやムガルの世界ではなく、「ヨーロッパ世界」になったのか、ということですが、当時は、これに答える方法がなく、ヨーロッパに資本主義が発達したからです、としか言えませんでした。これでは、ではなぜヨーロッパに資本主義が発達したのかと言われるので、答えになっていません。近代世界システム論は、この問題に、すでに述べたようなかたちで答えを出すことにもなったのです。

ウォーラーステインや世界システム論は大嫌いという人もいますし、あまり理屈っぽいところは、私も好きではありません。ただ、世界システム論が出てきて、この問いに答えられるようになったことは事実です。たとえばブローデルとウォーラーステインはどうちがうのかと聞かれることがあるのですが、ブローデルでは、この問いには答えられません。近代世界はなぜ出てきたのか、近代世界はなぜヨーロッパ的なものになったのか、という問いに答えられるのは、世界システム論のほうです。

関西弁はなぜ消えないのか——世界システム論の論理

あらためて言うまでもないことですが、近代世界システムは、いったん成立してしまうと、「中核」と「周辺」の格差、質的なちがいを強化していく傾向にあります。異質なものがひとつのシステムに組み込まれた場合、まったく対等に組み込まれるということはめずらしく、少し支配‐従属の関係が生じます。いったんそうした関係が生じると、有利なものはますます有利に、不利なものはますます不利になっていきます。それと同時に、質的にますます差異がはっきりしていきます。二つのものが交わると、平均化されて中間的なものになるというパースペクティヴもあるにはあるのですが、世界システム論はそれとはちがう力が作用して、逆に差異化していくというところを説明する議論で、私はそこが面白いところだと思っています。

学生には、関西弁はなぜ消えないのかという話をすることがあります。国民国家に対応するために、東京の言葉をベースにした標準語という「国語」をつくってもう一〇〇年以上たちました。けれども、関西弁は消えません。新幹線は五分おきに、東京と大阪のあいだを走っている。これだけ人が交流しているのに、なぜ関西弁は消えないのでしょうか。関東と関西が交わることで、チャンポンのような言葉――「ピジン」とか「クレオール」とかいうのかもしれませんが――を話す人が増えていることも事実ですが、その一方で、交わっていくと、両者の差異を強化するような、世界システム論的な力が作用するのも事実だと思います。イギリスでも、ウェールズ語はなぜ消えないか、という議論を世界システム論的に説明しようとした人もいます。

以前、私は『砂糖の世界史』(岩波ジュニア新書)という本を書きました。幸いにして、多くの人に読んでいただきましたし、韓国、北京、台湾の三ヵ所で翻訳が出ていて、東アジア各地で読まれるようになっています。ただ、そこで書いていないこととして、砂糖と煙草の比較だけは説明してみたいと思います。

砂糖も煙草も、世界市場でおおいに取り引きされた商品であり、その生産はアフリカ人を使う奴隷制プランテーションのもとでなされました。だから、それらの生産地は、「周辺化」されていきました。同じアメリカ合衆国のなかでも、煙草や、のちには綿花のプランテーションが展開した「南部」は、経済水準においてあきらかに差のある、国内の「周辺」となりました。先年、大きなハリケーンに見舞われたとき、豊かなはずのアメリカ合衆国でも南部には、とても貧しい人たちがたくさんいることが、世界中に知れわたりました。同じようなことは、イギリスのなかの「ウェールズ」や「北アイルランド」などについても、言えます。日本でも東京と地方の格差は広がる一方です。

砂糖と煙草

しかし、他方では、同じく「周辺的」などと言っても、アメリカ合衆国の南部とカリブ海の諸国とでは、いまや大きな格差が見られます。そのちがいは、本質的にアメリカ合衆国に組み入れられた「南部」と、長く植民地のままにされてきたカリブ海諸国の、政治的な歴史のちがいかと思われます。国家というのは所得を再分配する機構ですから、ひとつの国のなかに入っている地域は、政治的にはある程度、生活レベルが平均化される。これがもっとも大きな理由でしょう。しかし、このことをさらによく考えてみると、それで

砂糖プランテーション（W. Clark, *Ten Views in Antigua*, 1823より）

は、そもそもヴァージニア、メリーランドなど大陸「南部」植民地は、なぜ合衆国の一部として独立をしたのか、逆に、カリブ海はなぜ独立しなかったのか、という問題が出てきます。詳しい議論は、私の主著のひとつ、『工業化の歴史的前提』（岩波書店）に展開しましたので、ここでは筋道しかお話ししませんが、要するに、そこに砂糖と煙草という商品そのもののちがいがありました。

砂糖と煙草はいずれも世界的な商品で、近世にもてはやされました。しかも、ともに西半球で生産され、ヨーロッパに持ちこまれたものです。このように、砂糖と煙草は、近代世界システムの「周辺」で生産される「世界商品」として、非常によく似ています。しかし、にもかかわらず、そこには本質的なちがいもありました。

砂糖はイギリス領のカリブ海で、一方、煙草はヴァージニア、メリーランドなどイギリス領で当時アメリカ「南部」と言われていた地域でつくられていました。砂糖は、イギリスで紅茶とともに飲まれるようになったため、膨大な需要が発生し、プランターに巨富をもたらしました。彼らの多くは、現地を他人任せにしてイギリスに帰国（「不在化」と言います）し、ジェントルマンとなって社交生活に明け暮れ、議会にも進出しました。じっさいには、フランスがカリブ海で、オランダもジャワなどで砂糖生産を拡大すると、イギリス領カリブ海産の砂糖は、国際競争力をなくしていったのですが、イギリス議会で大勢力となった不在プランターたちは、外国の砂糖にかかる関税を引き上げていきました。砂糖のイギリス市場は、自国領植民地産の砂糖の保護市場となったのです。

反対に、北米産の煙草は、やはりプランターに大きな利益はもたらしたのですが、砂糖ほどではなく、ヴァージニアやメリーランドの煙草プランターたちは、不在化することはありませんでした。したがって、彼らの声がイギリス議会に反映されることはなく、独立派のスローガン「代表なくして課税なし」は、彼らにはじゅうぶんに訴える力を持ちました。しかも、イギリス領植民地の煙草は、砂糖とちがって、国際競争力が圧倒的に高く、イギリスから独立しても、世界市場でじゅうぶん生き残っていける見通しもありました。

だからイギリスを経由しないでダイレクトに輸出できたほうが経済的に有利だったという事情がありました。他方、砂糖は徹底的に保護されていましたので、イギリス国内市場が保護市場化していて、他の国に砂糖を売りだすのが難しいということがありました。一般に砂糖はきわめて高価であっただけに販売が進まず、ヨーロッパ大陸市場では、むしろだぶついているという事情もありました。

たとえば、このことは、オランダ東インド会社の動きを見るとよくわかります。オランダ東インド会社は、オランダ式の風車を利用して、インドネシアで中国人を使って砂糖を生産し、それを日本などに輸出していました。本国にも砂糖を輸出しようとするのですが、本国の経営陣がこれを拒否しています。砂糖はインドでもたくさんつくられていましたし、アジア市場、そしてイギリス以外のヨーロッパでも、余り気味だったとも言えます。イギリスはイギリス領カリブ海産の砂糖を保護していますから、国内の砂糖もかなり高くなっていました。イギリス領カリブ海の砂糖プランテーションは、国際競争力がないだけに、イギリスの市場を離れると生き延びられなかったのです。

こうして、ヴァージニアやメリーランドといった北アメリカ大陸の煙草植民地は、独立派に加わったのに対して、カリブ海の砂糖植民地は、イギリスの提供する保護市場に依存しつづけ、「低開発化」の道をつきすすんだのです。

モノからみた世界システム

世界システムの作用と簡単に言いますが、このように具体的にそこで交換されるものは何か、つまり周辺で生産されて、中核のマーケットに送られるものが何であるかによって、かなりちがってきます。ウォーラーステインは議論が粗いという人もいますが、彼の議論を利用すれば、いくらでも細かい話ができます。

モノを通じて世界システムの作用を見ていくうえで、いちばんはっきりしていて確実なのは、綿です。だから産業革命をいちばん説明しやすいのは世界システム論だ、ということになります。

私の恩師である角山榮先生の『茶の世界史』(中公新書)という名著があります。『砂糖の世界史』はこの本のまねをしたのだろうと言われたことがあります。私はまねをしたつもりはなく、タイトルは、岩波書店の人が提案されたものです。それにしても、角山先生の『茶の世界史』はじつにすばらしい本ですが、世界システム論によっては書かれていません。私は、砂糖でなら、世界システムの具体的な歴史が書けると思いました。

二〇〇八年に、中公新書から『ジャガイモの世界史』(伊藤章治著)という本が出ました。ジャガイモを素材にして世界のことが書かれていて、読み物として面白い、いい本だと思いますが、しかしこれも世界システム論ではまったくありません。「○○の世界史」といっても、世界システム論的な立場で扱えるものと、取り上げても、世界システム論にはならないものがあります。

砂糖、茶、ジャガイモの三つを考えてみると、砂糖が世界システム論にいちばんなじみますが、茶では少し書けるかという程度、ジャガイモでは、世界システムのことはまったく書けません。

いちばんの問題は、どこでその商品が生産されていて、どこで消費されているかということです。ジャガイモは、現在では、交通が発達しているのでどうなっているのか正確には知りませんが、基本的に腐りやすいものですから、つくられたところで消費されます。こういうものを扱っても世界システム論にはなりません。砂糖は主に生産された地域と、主に消費されたところがまったくちがいます。茶は、いまでは実験的に生産されているようですが、本来、イギリスではまったく生産されなかったのに、イギリスが大量に消費していましたから、そのかぎりでは、いろいろなことを書けます。しかし、茶全体を見ると、現在でも生産量のトップにあるのはインドや中国で、消費を見てもインドや中国が上位にあり、イギリスだけが例外となっています。だから、茶に焦点を合わせて広い意味での世界システムを説明するのは、できなくはないけれど、少し難しいところもあります。

ジャガイモは地産地消の商品ですから、国内のシステムで、ジャガイモをつくっている農家が貧しく、食べている人が裕福ということはあるかもしれませんが、広い意味では書けません。昔、ロンドン港には労働者の食べ物として大量のジャガイモが入ってきましたが、荷役の特権があったポーターたちには、「役得」が少ないこともあってひどく嫌われました。嫌われたもうひとつの理由は、腐りやすかったということのようです。ですから、遠方の植民地でプランテーションを展開して、大量に生産するということにはならなかったのです。

そう考えると、非常に有望なのは、コーヒーです。これはあきらかに世界システム論的に書くことができます。コーヒーの生産地は、中南米、アフリカ、アラビア、それからベトナムなどですが、コーヒーの主な生産国を上からならべていって、いっぽうにコーヒーの消費国を上からならべていっても、ほとんど一致しません。現在、消費が多いのは、アメリカや西ヨーロッパ、日本などですから、コーヒーはあきらかに生産されているところと、消費されているところがちがう。こういうものを扱うと、世界システム論として書けそうなので、『コーヒーの世界史』は面白そうだと思っています。

それから、いまでいうと石油でしょうか。アメリカやロシアもかなりの産油国ですから、先進国でも採れますが、世界的には、石油が大量に生産されるのは、低開発に近い国であって、圧倒的に消費しているのは、そうでない先進国ですから、石油からも、世界システムの作用を描けるかもしれません。

イギリスが「帝国」であったことの意味

もうひとつ議論をしておかなくてはならないのは、近代世界システムと帝国との関係です。イギリスはイギリス帝国になっていきます。一六世紀から一九世紀はじめまでのイギリスの歴史は、イギリス帝国の形成過程であるわけですが、別の見方をすると、イギリスが世界システムの「中核」になって、さらには、その「中核」のなかでも、オランダ、フランスと争って「ヘゲモニー国家」になっていくプロセスでもありました。とすると、イギリスにとって、近代世界システムの「ヘゲモニー国家」になっていくということと、イギリス帝国になっていくということの意味のちがいが問題です。

少し脱線になりますが、以前、大英帝国という表現は大日本帝国と同じく大げさで、帝国主義に無批判でけしからん、と書かれてあるのを読んだことがあります。しかし、これはまちがいです。明治時代に「大英国」という言葉がありました。あまりはやらず、すたれてしまいましたが、英国の英は「英吉利（エゲレス）」の英で、イングランドのことです。そのイングランドとウェールズ、スコットランドをあわせたものをブリテン、ないしグレイト・ブリテンというのですが、これも日本では「イギリス」ないし「英国」とよんできました。だから、とくに「ブリテン」を「イングランド」から区別する日本語がないので、それを「大英国」と訳したのです。イギリス帝国の原語は、The British Empire ですから、「大英帝国」は決してまちがった事大思想の産物などではありません。

それはともかく、帝国と世界システムの関係に戻りましょう。帝国よりも世界システムのほうが、概念上、広いものであることは言うまでもありません。この場合、いちばん問題になるのがラテンアメリカです。ラテンアメリカはイギリス領ではありません。イギリス領になったことは基本的にありませんが、一九世紀になると、イギリスとの経済関係は非常に深くなりました。この状況を、J・ギャラハーとR・ロビンソンという二人の経済史研究者は、苦肉の策として「自由貿易帝国主義」や「非公式帝国主義」という概念をつくり、説明しました。この説明は論理的に明確でないところもありますが、便利なので広く受け入れられています。イギリスにとっての、世界システムと帝国のちがいは、こうした「自由貿易帝国主義の植民地」と「帝国」の植民地とのちがいということになります。

イギリスは、巨大な分業体制である近代世界システムの中核に位置したから有力な国になっていったということであれば、政治的支配をともなう帝国植民地などはいらなかったということになります。それにもかかわらず、イギリスは帝国を維持し、拡大していきます。帝国には何の意味があったのでしょうか。

帝国には、経済的な利害では説明できないような、プレスティジ、つまり権威といったものがあります。かつて経済学者のＪ・Ａ・シュンペータは、帝国主義について、このことをとくに重視しました。たしかに、大英帝国がなくなって、元気がなくなったイギリス人もいたことでしょう。しかし、このことは、もう少し慎重に考察しなければなりません。

経済史的には、インドを支配したことは、イギリスにとってプラスだったのかマイナスだったのか、という「帝国経費論争」と言われる議論がありますし、カリブ海にしても、私はカリブ海に植民地があったことで、イギリスは経済発展ができたと言っていますが、カリブ海の植民地などを持っていることは損だった、という意見もあります。

虚構設定の経済史

そういった議論を比較的わかりやすく展開したのが、計量経済史（クリオメトリックス）の立場の人たちです。アメリカの経済史研究者に、Ｒ・Ｗ・フォーゲルという人がいました。フォーゲルは、事実に反する仮定を設定してその結果を計算するという方法で、黒人奴隷制度の歴史的意味などを測定しようとしました。この方法を用いて、クロムウェル航海法の意味や、カリブ海の植民地をイギリスが保有したことの意味を分析する人たちが、あらわれたのです。このような反事実の仮定にもとづく経済史は、ニュー・エコノミック・ヒストリとも よばれました。

私の学生時代には、歴史家を志す者は、事実に反する仮定を設定してはいけないと言われました。歴史家は、「もし」と言ってはいけない。反事実の仮定をおいてはいけない。が、「もし、レーニンがいなかったら、ロシア革命はどうなったか」と言いたがる人がいる「もし、レーニンは実際にいたのだから、こういう問いを立ててはいけないということです。E・H・カーの『歴史とは何か』（岩波新書）という名著のなかにも、そのことが書いてあります。もし、レーニンがいなかったら、というのは、いわば歴史学における「未練学派」、つまり、ロシア革命などなかったらよかったのに、と思っている人たちの寝言の類《たぐい》だと言われたのです。

しかし、フォーゲルは、そこをひっくり返して、もし○○がなかったら、と反事実の仮定を設定して、そのうえで、その場合の経済計算をしていく。奴隷制度がなかったらアメリカ南部の経済はどうなったか、もし鉄道がなかったらアメリカ経済はどうなったか、という計算をしました。鉄道がなかったら、荷物を馬車で運ぶので、運賃はとても高くなります。運賃が上がると、重い商品やかさばる商品も値上がりする、しかし、荷馬車業者の所得は増える。そうすると、他の商品の価格や他の人びとの所得にはどのような影響がおよぶかといったことを、細かく計算します。これがフォーゲル派の経済史学で、考え方としては面白いと思います。ただ、面白いけれども、その計算は頭のなかでつくったモデルのうえに立っていますから、どこかで現実からずれてしまう。阪神タイガースが優勝したら、どれほどの経済効果があるか、といったことと同じだと思います。仮定されている要素がたくさんありますから、こういう計算はだいたい当たらないと思いつつ、みんなが面白がっているようなわけです。

フォーゲル派の理論を適用すると、理論上は、さまざまな政策の評価ができそうに見えます。たとえば、ジャマイカを中心としたカリブ海の植民地を持っていたことは、イギリスにとって、どのくらいの経済効果があったのか。また、イギリスが北アメリカの植民地に強制した航海法が、植民地にとって足かせになっていて、それが独立の原因になったと言われますが、実際には航海法はアメリカ一三植民地の一人当たりの所得をどれくらい下げたのか、などという計算です。しかし、実際には、フォーゲルの方法でも、結論はよくわかりません。前提条件をどうするかによって、結論がまったく変わってしまうからです。

たとえばカリブ海の植民地を維持するため、イギリスは、いざというときにカリブ海に派遣するための海軍をアメリカ大陸においていますが、そのコストを勘定にいれるかどうかという問題があります。軍隊をどの程度維持しなくてはならないか、ということまで経済的に計算しようとしても、できません。

　帝国経費論争なども、財政史的な立場、つまり単純な収支計算で扱われることが多いのですが、こういう計算では物事は決着しないというのが私の理解です。

植民地保有の社会的意味

　それより、普通に歴史を広く眺めていきますと、目につくことは、イギリス帝国植民地が、イギリスにとって社会的な意味を持ってきたということです。簡単に言うと、イギリス本国では、前出のロビンソン・クルーソーのように、社会的上昇の野心を満たせない人間や、逆にイギリス本国では食べていけない人間が、帝国の植民地に解決策を見出すことが可能であったということです。本国の社会システムからはみだす人間の問題は、帝国を利用することで解決が図られました。社会福祉や、刑罰の対象になったりする人は、どのような社会でもかならず出てきます。資本主義でも社会主義でも、その他どんな体制であっても、ひとつのシステムができると、そのシステムにあわない、適応できない人が出てきますが、近世以降のイギリスの場合は、圧倒的に帝国植民地を利用して、そうした問題が処理されていきます。

イギリスの近世では、私の言う「成長パラノイア」とともに、「救貧パラノイア」とでも言うべき傾向が発生しました。自力では、生きていくことができない人をどうするかという救貧・福祉の問題が、この時代からサッチャー改革の時代まで、他の国にくらべてとても重要な問題になりました。

その原因は、前にふれたように、イギリスが「核家族」の社会であったことと関係しています。「核家族」は煩わしさがなく、日本をふくめ近代社会では当たり前になっているのですが、「核家族の苛酷」という言葉もあるように、子どもが熱を出しただけで、親が出勤できなくなるような、弱さをはらんでもいるのです。若者が結婚するとき、親と同居はしませんから、老親の家族も、新しい世帯も、ともに「核家族」になりますが、老親のそれは、「空になった鳥の巣」として、要保護の第一候補ですし、新世帯も、幼子を抱えた寡婦などを生みだしやすいのです。

しかし、その問題は、帝国植民地を持っていたことによって、かなり緩和されてきたと考えます。イギリス社会のなかで、経済的に生きていけない人、経済的な問題を抱えているのではないけれど、生き難い人たちが、帝国植民地へ押しだされていく、ということがあって、それが非常に大きな意味を持っていました。

現在までつづいているこの傾向は、近世という時代に帝国ができてから、非常に明確なかたちをとるようになったと思います。イギリスの刑罰のかたちを見ると、他のヨーロッパの国とまったくちがいます。いちばんちがうのは投獄、つまり、刑務所に入れておくという方法がほとんどないということです。刑務所に入れておくかわりに、アメリカ植民地に行かせるのです。屈強な犯罪者であればあるほど、アメリカに行けば、貴重な労働力として売れます。孤児、あるいは親が貧しくて育てられない子どもも、そういうかたちでアメリカに流されていきます。アメリカ独立後は、オーストラリアが流刑植民地として成立します。南アフリカにも、イギリスの孤児院、その他の施設から送られている人たちがたくさんいます（このあたりの問題については、川北稔『民衆の大英帝国』岩波現代文庫、二〇〇八年を参照）。

したがって、イギリスにとって、帝国植民地の社会史的な意味は、非常に大きかったのです。帝国外のラテンアメリカは、貿易の面では、イギリスに非常に有利な取引相手になりました。しかし、言葉の問題、生活習慣のちがいもありますから、イギリス人はラテンアメリカには移住はしません。

ジェントルマン支配の安全弁としての植民地

イギリスが帝国を形成したことのもうひとつの社会史的な意味は、野心的な若者や没落を食い止めたい上流階級にとって、植民地が便利なステップを用意したということです。イギリスには、貴族とジェントリで構成されていた「ジェントルマン」が、ほかの人たちを支配するという構造が、近世以来——一〇六六年のノルマン征服以来と言う人もいますが——定着しています。「ジェントルマン」はせいぜい人口の五パーセントくらいとされ、そのほとんどは、身分的には平民（コモンズ）である「ジェントリ」によって構成されていました。

フランスでは、中世以来、貴族が第三身分以下の人を支配するという構造になっていましたが、革命などで貴族階級が消滅します。このように、ヨーロッパで貴族のいる国はひじょうに少なくなっています。ところが、イギリスでは、貴族は選挙なしで全員がそのまま貴族院議員であるという古風な仕組みがいまも生きていて、現在にいたるまでジェントルマン支配の構造のベースは崩れていません。では、フランスなどの貴族支配は、なぜ崩れたのでしょうか。これは、私の学生時代からの課題でもありました。貴族が第三身分以下の人を支配するということは、身分制度の問題です。だから、第三身分の人が大金持ちになっても、例外はあるでしょうが、貴族にはなれません。反対に、貴族はどんなに貧しくなっても貴族である、という固い構造になっているために、かえって、全体をひっくりかえすエネルギーがブルジョワ、つまり、第三身分の市民層に蓄積されたのだと思います。

いっぽうイギリスの場合、ジェントルマンの大部分がジェントリという平民でしたから、ジェントルマンでない人も、努力し、運がよければ、ごくまれには、ジェントリになることができました。イギリスのジェントルマンは、「開かれたエリート」だと言われるゆえんです。それだけ柔らかい構造であったので、逆に、構造そのものを壊すエネルギーは蓄積されないのです。ジェントルマンになろうとする人はたくさん出てきますが、ジェントルマンの支配を崩そうという人は出てきにくかったということです。

ジェントルマンの大部分はジェントリ、つまり平民ですから、フランス貴族とはちがって、財産をなくせば、ジェントルマンではなくなってしまいます。彼らにとって、転落の危険がせまったとき、意味を持ってくるのが、豊かな貿易商などとの縁組みと植民地です。前者、つまり、地主ジェントルマンの結婚政策については措《お》くとして（この問題については、川北稔「地主支配体制の確立とジェントルマン」、村岡健次・鈴木利章・川北稔編『ジェントルマン——その周辺とイギリス近代』ミネルヴァ書房、一九八七年を参照）、官僚などとして植民地へ行くことには、彼らにとっても、大きな意味がありました。とくに、ジェントルマンの家庭が没落し、次男や三男をどうするかというときには、圧倒的に植民地を利用しました。反対に、ジェントルマンに成り上がる野心を持った若者たちも、植民地を利用しました。すでにお話ししたデフォーの物語は、その多くがこうしたかたちで植民地を取り上げています。

ジェントルマン支配の安定装置

植民地官僚としてはインド官僚がよく知られていますが、インド官僚制度というのは、イギリス国内の公務員より人数的には多く、強固な体制ができあがっていました。それから、植民地にも弁護士、医師をはじめ、ジェントルマン的な職業がたくさん必要とされましたから、これは本国のジェントルマン制度を安定させる、非常に有力な装置になっていました。大学でも、少なくとも第二次世界大戦末までは、イギリスの大学を出たイギリス人の先生がインドの大学へ来たり、オーストラリアの大学で教えたりすることがありましたが、その逆のケースはほとんどありませんでした。大学の先生も多少ジェントルマン的に扱われていますから、そういったことを見ても、イギリスのジェントルマン的な階層の家系が、植民地のポストを利用できたことがわかります。

植民地の官僚制については、かなり研究がなされていますが、大学制度をはじめ、他の分野の社会史的な研究がじつは必要です。インドの近代医療がどのようにしてできたのか、インドの近代医学はどうして成立したのか、ということを見ていくと、イギリスのジェントルマン支配も見えてくるだろうと予想できます。

このように、ジェントルマン支配を安定させる装置として、イギリス植民地体制は大きな意味を持っていました。他方、庶民にとっても最終的な生きる場所、そこからはいあがることも可能な希望の地として、大きな意味を持っていたことは、先に触れたとおりです。世界システムの「周辺」ないしいわゆる非公式帝国には、このような役割はあまり認められません。主な非公式帝国であったラテンアメリカは、イギリス人にとって、有利な貿易相手ではあっても、スペイン語やポルトガル語の世界で、そこに移住してジェントルマンの家系を守るという役割を果たすことは少なかったのです。

帝国支配の遺産——英語の経済的価値

イギリス人にとって、植民地の持つ経済的・社会的な意味はほかにもありました。たとえば、文化の経済的な意味です。英語は、世界に数ある言語のひとつにすぎません。しかし、イギリスが世界を支配する大英帝国をつくっていったことによって、地球のかなり広い範囲で話されるようになり、現在までその影響が遺産として残っています。イギリス帝国の話をするときに、ふつうは政治的な支配を問題にしますが、政治的な支配が終わって、いわゆるポスト・コロニアルの状況にあっても、実際には経済的な支配－従属関係がいまでも残っているところがあります。

しかし、文化的な帝国支配の構造は、政治的、経済的な帝国支配がいずれもなくなったあとまで残ります。南アフリカのルポルタージュをテレビで放映しているのを見たことがありますが、かつてアパルトヘイト政策によって、黒人たちが閉じこめられていたところは、いまでも犯罪が多発しているということでした。それにしても、抑圧されて低いレベルで生活している人たちも、訛《なま》ってはいますが、英語を話しています。なぜ英語でなくてはいけないのでしょうか。「国語」は、国民国家のひとつの構成要素だと言えますが、南アフリカは、独立しても、アパルトヘイトを廃止しても、英語が大英帝国の遺産として定着しているのです。

インド亜大陸には、歴史的にたくさんの国家があり、インドという国は存在していませんでした。インドネシアにもインドネシアという国はありませんでした。インド人もいなかったし、インドネシア人もいませんでした。日本人もそうです。ところが、近代世界システムの枠にはいると、その中核は国民国家、主権国家です。この中核に対し、インドにはいろいろな国、言葉があって、というのでは対抗できませんから、「インド国民」をつくりださなくてはなりません。こうした動きのはじまりは、むろん、ヨーロッパのなかで起きました。フランス革命のころに、イギリス人やフランス人がそれぞれに「国民」だと言いだすと、それまでばらばらだったドイツ地方やイタリア半島の人びとも、これからは

「国民」を標榜《ひょうぼう》しないと対抗できないということで、一九世紀のヨーロッパには、国民主義が広がったとされています。

日本の教科書では一九世紀前半のヨーロッパに展開したナショナリズムを、「国民主義」と訳しています。これに対して、同じ世紀の末以降のアジア、アフリカなどのナショナリズムを「民族主義」と訳しています。

どちらも原語は、「ナショナリズム」なのですが、このように訳し分けることで理解しやすくなっている一面があるものの、他方では、そのために見えなくなっているところもあります。近代世界システムのなかで生き残っていくための手段がナショナリズムであり、そのかぎりでは、両者はひとつづきのものだということを、この訳し分けは、見えなくしてしまっています。年代的には、一世紀ほど遅れてしまいますが、かつて、東ヨーロッパやイタリアが国民国家をつくっていったのと同じ段取りで、二〇世紀中ごろには、アジア、アフリカなどの諸国の住民が、われわれは「インド人」だ、「インドネシア人」だと主張して、「国民国家」をつくろうとします。そうでないと近代世界システムのなかでは、不利になったからです。

インドではいまでも英語でないと、なかなかうまくコミュニケーションがとれません。南アフリカもほんとうはいろいろな言葉を話す人がいるはずなのに、英語が広く話されています。インドネシアでオランダ語が現在どのくらい広がっているのか知りませんが、一般には、政治的、経済的支配が消滅したあとでも、英語のような文化的遺産はかなり残り、そのことが経済的にも意味を持つのです。

たとえば、日本人は、日本語で育ってきています。最近では、小学校から英語を教えることにさえなりそうですが、これまでも、私たちは中学から大学まで、延々と英語教育を受けてきました。経済的な計算をした人はいませんけれども、日本で英語教育に費やされる社会的コストは莫大なものです。これはイギリス、アメリカに生まれれば、まったくかからない経費です。英語で本を書けばマーケットは世界的ですが、日本語で書けば、そのマーケットは限定されています。だから、学術論文も、英語で書かなければならないと言われています。これでは、英語の国に生まれた人が圧倒的に有利になってしまうので、何かおかしいと思うのだけれど、それが現実です。イギリスとアメリカが、あいついで近代世界システムのヘゲモニーを握ったことの結果です。

このことは、イギリス帝国の枠のなかでなら、よけいにはっきりとします。近代世界システムにおいて、ヘゲモニー国家がイギリス、アメリカとつづきましたので、世界システム全体に英語が広まっていますが、イギリス帝国の範囲では、英語がほとんど母国語とさえなっています。政治的、公的な発言をする際には英語でなければならないというのは、カリブ海でもどこでもそうです。それぞれの地域では、現地独特の訛りのある英語——ピジンとかクレオールとかいうものです——を用いています。こうした訛りを大幅に許容するのが英語の特徴だとよく言われますが、そうではなくて、イギリスがさまざまな現地語の地域を包括する大英帝国であったことの結果だと私は思います。イギリス帝国であるためには、訛りを認めなければ、各地で支配できなかったからだと思います。それだけに、帝国の遺産としての英語は強いのです。

私の若いころ、英語を勉強するのはリンガフォンのテープくらいしかありませんでした。リンガフォンの教材で、イギリス英語のテープの販売数がアメリカ英語のそれに抜かれた、というのが私の大学院時代のころに話題になりました。そういった微妙な重心の変化は起こっているのだと思うのですが、英語が「世界語」——「世界語」のことは「リンガ・フランカ」(フランク人の言葉)というのですが、いまとなっては、ちょっと皮肉な感じがします——になったことは、全体として英語圏、とくにイギリス、アメリカに生まれた人びとに、とてつもない経済的利点をもたらしているわけです。

第四章 世界で最初の工業化
——なぜイギリスが最初だったのか

需要から産業革命を見る

産業革命については、従来あまりにもたくさんのことが言われてきましたので、なかなかそれをひとまとめにしてお話しするのは、難しいところがあります。

私はそもそも、産業革命の前史から研究をはじめました。私は産業革命を考えるうえで、二つのポイントを置いております。ひとつは、経済史全体についての私の見方の特徴でもありますが、消費、需要という側面から見るということです。産業革命は生産の革命と考えられがちですが、生産は需要がないと展開しません。このような見方は、かなり早い時点で、エリザベス・ウォーターマン・ギルボイという女性研究者が提案しましたが、その後、近年まで、じゅうぶんには議論が展開されませんでした。

もうひとつは、世界システム論的に見るということです。

マンチェスタの工場で、白い綿織物がつくられる。生産という側面から見ても、そこまでは議論できるのでしょうが、その綿はいったいどこにいったのか、さらに、綿織物をつくるにあたって、綿花はどこから来たのかという話をしないと、議論は完結しません。それらをひとつひとつ考えていくと、コットンのライフサイクルのようなものが書けることになりますが、それは瞬く間に地球規模の話になります。イギリスのなかでも、マンチェスタやバーミンガムなど工業都市だけの話ではすまなくなります。そういうようにものを見てみたいというのが私の考えなので、必然的に議論は、世界システム論的になります。

こうして、需要から見るということと、世界システム論的に見るということとは、二つの見方のようで、じつは通底しているところもあるのです。

需要の問題、つまり綿織物はなぜ好まれたのかということを見ていくと、必然的に生活文化の問題になってきます。すでに、都市と生活文化の話をしましたけれども、産業革命の展開も、そのことにつながります。生活文化に大きな変化がなければ、産業革命は起こらなかっただろう、と私は思います。

そもそもイギリスをはじめ、ヨーロッパ全体が、毛織物の世界であったのに対して、産業革命は綿工業からスタートした、と誰もが言います。このパラドックスをまず頭に置いておく必要があります。伝統的な毛織物業は、なぜ爆発的な発展をしなかったのか、ということです。

毛織物業を展開していこうとするとき、近世では輸送コストの問題もあったのでしょうが、植民地で羊を飼うという発想はありませんでした。したがって、基本的にはイギリス国内で、原料の羊毛を確保しなければなりませんでした。他のヨーロッパ諸国から手に入れることも、理屈ではありえましたが、実際にはそれらの諸国と競争しているわけですから、なかなか原料を提供されることはありません。イギリス国内で羊を飼わざるをえなかったのです。しかし、羊毛の増産は、食料の生産その他と競合することになって、あるレベルから劇的に拡大することができませんでした。実際に、一六世紀後半、エリザベス一世時代には、穀物が猛烈に値上がりして、実質賃金が低下し、最初の「救貧法」が制定されるほどの行き詰まりとなりました。

それに対して綿織物は、海外でまさに世界システムを通じて、原料を手に入れることができました。カリブ海、インド、のちにはエジプト、アメリカ南部などに劇的な変化を起こして、そこから綿花を手に入れるという方法を取りましたから、綿業は劇的に発展することができました。それが発展のための前提条件ということです。ただ、それだけではなぜ綿が好まれたのかが答えられていません。

綿織物は圧倒的に東インド会社が輸入して売っていました。東インド会社は一七世紀と一八世紀の境目に大きな変革があります。

戦後の日本の歴史学では、変革以前の東インド会社は、前期的商業資本の代表のように言われていました。国王から特許状をもらって、特権をもっている東インド会社が悪玉で、地方でこつこつと毛織物業を営んでいるマニュファクチャー経営者（マニュファクチャラー）は善玉で、この善玉が近代をつくっていくとされてきましたが、それはまったくちがいます。この見方が正しいとすれば、毛織物工業から自然発生的に綿織物工業が出てこなくてはなりません。しかし、そのようなことは起こりえません。

じつは東インド会社は意図的に大量の綿織物を輸入したのです。イギリスの東インド会社は、オランダやポルトガルに対抗して、インドネシアの香料諸島に進出したかったのですが、できませんでした。というのは、一七世紀はじめに「アンボイナ事件」が起こります。この「事件」で、イギリスはオランダに敗れ、インドネシア水域に進出できなかったため、インドに定着することになります。インドでは胡椒などはありましたが、香料は手に入りません。他方、当時のインドは世界最大の綿織物業地帯で、アジア各地に輸出していましたから、その綿を手に入れてイギリスに持ち帰ることが、中国からの茶の輸入とともに、イギリス東インド会社の中心的な貿易になっていきます。

コットンには、軽い、毛織物にくらべて安い、鮮やかな色がつけられる、鮮やかな図柄のプリントができるなどの商品としての特徴があります。毛織物には鮮やかな色はつけられませんが、綿織物は場合によっては文字も書けます。さらに、決定的なことは洗濯ができるということです。じっさい、綿織物が普及したことで、イギリス人の生活は急速に清潔になり、それが平均寿命の延長にもつながったとも見られています。

マーケティング上手の東インド会社

ともあれ、こうして輸入された綿織物が人気を博していくと、伝統的な毛織物業界との対立が発生します。戦後の歴史家は、これを前期的商業資本と（近代化を担うはずの）産業資本の対立ととらえたのですが、もう少し長い目で見ると、その見方はちがうのではないかと思います。

たしかに、東インド会社は、綿織物を輸入して、それまでイギリスの経済界を担っていた毛織物業界と激しく対立します。毛織物業界の圧力で、当時はキャラコと言われていたコットンを禁止する運動が展開され、一七〇〇年にキャラコ輸入禁止法が出されます。二〇年後には、さらにキャラコ使用禁止法が出て、追い打ちをかけます。こうして、法律上は、キャラコは使ってはいけないこととされましたが、実際にはいろいろなかたちでますます消費されるようになっていくのです。最大の理由は、たとえば、綿糸を何パーセントふくむと綿布と言えるのか、というように、コットンを厳密に定義するのは難しいということです。そのため禁止法は有効に働かず、事実上、コットンが輸入され、使用されてしまいました。

東インド会社は非常に商売上手、マーケティング上手でした。お茶もそうですし、コットンもそうだったのですが、最初に王室に売りこみます。王室がしていることは貴族もし、貴族がしていることは同じジェントルマン階級であるジェントリもせざるをえません。ジェントルマンたちがコットンを身につければ、これからジェントルマンになりたい、自称ジェントルマンとでも言うべき人たちがまねをする、こういったかたちで全国に広がっていきます。これはすでにお話ししましたが、イギリス特有のパターンと言うべきものです。ぜいたく禁止法ももはやありませんので、急速に広がっていきます。

東インド会社は、インドでこれからはやりそうな模様、図柄のコットンを大量につくらせるなどしていましたから、現在のアパレル産業と近いところがあります。マーケティングは前期的で、生産は近代的という、戦後の歴史学の立場からすると、両者は対立し、一方は反動的で、他方は進歩的ということになるのかもしれません。しかし、つくったものは売らなければいけませんから、マーケティングと生産活動は一体だと考えると、東インド会社のマーケティングは非常に上手だったと言えます。

このようにして、国内でコットンの消費が急速に増えていくと、禁止しても意味がなくなり、一七七四年には、キャラコを禁止する二つの法律が廃止され、堂々とコットンが使われることになります。そうなると、大量に輸入するキャラコを、国内で生産したらどうか、という発想がでてきて、イギリス国内に綿織物工業が劇的に展開されることになります。一七七四、七五年というのは、アークライトの水力紡績機が本格的に使われていく時代です。しかも、このアークライトの水力紡績機は、一七八五年にいたって、そのパテント（特許）が無効になります。アークライトは水力紡績機を発明したと主張しましたが、虚偽とされ、そのパテントが無効になり、一気に普及していくのです。このあたりから綿織物業の劇的な展開が見られます。

そういう技術的な問題も当然大事なのですが、全体としてはインドから輸入していたものをイギリスでつくる、輸入品の国産化というかたちがとられたことが重要です。後発国の工業化の特徴とされる「輸入代替」は、「最初の工業化」についてもあてはまることだったのです。イギリス産業革命には、イギリス人の生活のアジア化が前提にあったのです。

つまり、産業革命前からヨーロッパがアジアのもので埋め尽くされるというのは大げさだとしても、アジアのものがかなりヨーロッパに入ってきていました。明治以降の日本人の生活が西洋化されていくのと似たような傾向があって、そういう前提の上に、産業革命はある、と私は考えています。

輸入代替過程としての産業革命

産業革命前後のイギリス経済の発展は、他の面でも、輸入代替の性格をもっています。たとえば、初期の産業で比較的重要だったのは、ウェッジウッドの焼き物です。

スタッフォードシアというイギリス中部のやや西に位置する州が、いまでもウェッジウッドの中心です。それからもうすこし西に位置するウスターシアは、ロイヤル・ウスターという焼き物で知られています。このあたりがイギリスの陶器業の中心になりますが、ウェッジウッドの焼き物はあきらかにアジアの焼き物のうつしからはじまっています。つまり、陶器業についても、アジアの商品をヨーロッパで国産化できないかということが、産業革命の前提になっているのです。アジアの商品に対するヨーロッパ人の憧れ、需要があり、マーケットが先に広がっていたからです。

軽工業の世界だけではなく、鉄についても、似たことが言えます。鉄は一六世紀のイギリスでかなり使われるようになります。かつて、アメリカ人の経済史家ジョン・ネフが、一六世紀にある種の産業革命と言えるものがあったと主張し、日本では「初期（早期）産業革命」と訳されました。

イギリスの歴史上、産業革命とよばれるものは、じつはたくさんあります。中世の産業革命、第二次産業革命、第三次産業革命などですが、「初期産業革命」はそのひとつで、比較的知られているものです。「初期産業革命」の核心は、鉄がよく使われるようになったということです。

鉄の使用量が多くなり、鉄の生産も実際に増えていきます。しかし、このころの鉄は、木炭を燃料としてつくりましたので、莫大な量の木炭が必要で、そのために、木材が切りだされ、イギリスの山は現在のようになったと言われています。いまのイギリス（イングランド）には、ほとんど森も林もなくなっていて、イギリスで○○フォレストとか○○ウッドというところに行っても、ウッドもフォレストもありません。あるのはブッシュ（低木の藪《やぶ》）くらいです。現在のこのような植生は、「初期産業革命」の結果だと言われています。

現代の環境学で、熱帯雨林などの森林がなくなっていくことをdeforestationと言いますが、もともとこの言葉は、一六世紀のイギリスの現象をあらわすためにつくられたものです。

じっさい、一六世紀から一七世紀に変わっていくころには、燃料がなくなり、鉄の生産は停滞、減少していきます。イギリスでは鉄をつくれなくなった、と経済史の本には書かれていますが、比較的最近の研究では、鉄の消費量そのものは、その後も右肩上がりにあがっていることがわかっています。イギリス産の鉄がなくなり、それをスウェーデン、少しのちにはロシアなどからきた鉄が埋めました。スウェーデンの鉄は高品質で、ロシアの鉄は劣りますが、これらが大量に入ってきます。

鉄の消費量は増加し、この拡大するマーケットのなかで、輸入が圧倒的になっていきますが、そうなると、また同じように国産化の動きがでてきます。それが、一八世紀初頭のエイブラハム・ダービーによるコークス製鉄法の発明につながります。コークス製鉄法が成功すると、燃料のネックがなくなりますから、国産化が進みます。これが産業革命の製鉄業です。一六世紀に使われるようになった鉄が、その後あまり使われなくなっていたということではありません。そのあいだも、マーケットは拡大していたのです。

エリック・ウィリアムズのテーゼ

輸入品を国産のものに置き換えていく過程として産業革命を見ると、つぎのようなことが言えます。つまり、鉄も大いに使うし、コットンも使うし、アジアにあるような陶器も使うという生活のパターンができて、そのうえに乗っかって産業革命が成立するということです。そのような生活ができるということは、消費需要がある、つまり、生活様式の変化が、かなり先行しているということになります。この変化を前提にして、生産の革命が成立していくと、私は考えています。

もちろん、綿織物の原材料はヨーロッパでは獲得できなかったので、ヨーロッパ外の世界で確保されなければなりませんでした。しかも、そのほとんどは、インドなどをのぞけば黒人奴隷によって栽培されました。だから奴隷貿易が前提にならないと、綿織物工業は展開しないという当然の事実もあります。伝統的な産業革命論では、そこのところが抜けています。イギリスの科学技術がどのように発展して、どのような発明をしたか、イギリス人がどれだけ勤勉になったか、という話に終始していました。

奴隷貿易の展開こそがイギリスの産業革命を生んだ、という議論は、エリック・ウィリアムズの『資本主義と奴隷制』で強く言われたことです。彼は、第二次世界大戦後のトリニダード・トバゴの独立運動のリーダーで、独立後ながく首相をつとめました。

少しだけ脱線しますと、阪大に務めていたころに、総長あてに、アメリカ・フロリダのある女性から、昔、阪大に川北という人間がいたはずだけれど、まだいたら連絡をしてくれ、死んでいたら遺族に連絡をしてくれ、という内容の手紙が来たことがあります。差出人はエリカ・コネルさんという方でした。エリカはエリックの女性形ですから、つまり、エリック・ウィリアムズの長女で、結婚してフロリダにいるということでした。お父さんの書いたものなどを集めて、ユネスコに登録する運動をおこなっていて、私が昔ウィリアムズと手紙の連絡をとったことを聞いて、書いたものをほしいということでした。それは現在、ウィリアムズ・コレクションといって、世界遺産になっているそうです。世界遺産というと、日本では白神山地のような自然遺産と、姫路城などの文化遺産が知られていますが、別に「世界の記憶」と言われる、歴史史料の世界遺産があります。日本の史料はひとつも入っていないので、ほとんど知られていませんが、中国や韓国のものは入っていますし、カリブ海のものはけっこうあります。ウィリアムズ・コレクションについては、当時アメリカの国務大臣だったパウエルが尽力をしたと聞いています。

ウィリアムズは、トリニダード・トバゴの黒人で郵便配達員の息子でした。非常に成績がいいので、周りの人がお金をだしあって、オクスフォード大学に留学させました。彼はオクスフォードを首席で卒業します。古典学やギリシャ・ラテン語が専門だったのですが、当時、西洋の古典文化を黒人から習いたいという白人はなく、日本にも職を求めたそうですが、どうしても就職ができなかったと言います。

そのなかで、自分はカリブ海の黒人奴隷の子孫なのに、ギリシャ哲学など、白人の精神的起源を研究するのはおかしいと考え、彼はカリブ海の歴史の研究に大転身をとげます。それと同時に、「人民国家運動」という政党を率いて、トリニダード・トバゴの独立運動の指揮をするようになったのです。

私の若いころは、イギリスの学界でも、ウィリアムズといっても知らないのが普通でしたが、いまでは、ウィリアムズのテーゼが出てこない産業革命の本はありません。私の半世紀ほどの研究歴でも、この点は大きく変わったことを実感します。日本でも、「カリブ海に関心があります」などと言うと、以前は相手にされなかったのですが、日本西洋史学会でカリブ海問題のシンポジウムが開かれるようにもなりました。私自身は西洋史を研究するなか、誰も手がけなかったこの分野に、最初に手をつけられたことをほんとうにうれしく思っています。

話を戻しますと、ウィリアムズのテーゼでは、奴隷貿易が基本になっています。奴隷貿易の利益がどの程度だったかというのは、いろいろな議論があり、よくわからないところもあるのですが、非常にうまくいった奴隷貿易では数百パーセントの利益があったことはまちがいありません。船が難破したり、反乱が起きることもありましたし、破綻した奴隷貿易の会社もありました。ただ、全体として奴隷貿易でかなりの利益があがったことは確実です。

奴隷にされた人の運命は非常に気の毒なものであったことは、むろん、真っ先に言っておくべきですが、アフリカ自体も、この奴隷貿易で非常に影響を受けました。奴隷貿易では、アフリカ西海岸の黒人の国は、ヨーロッパの国と通じていて貿易をし、ヨーロッパ人から鉄砲をもらって、奥地の国の奴隷狩りをおこなっていました。アフリカは搾取されたと漠然と考えがちですが、奴隷輸出という産業が展開していく、そういういびつさのほうがむしろ深刻な問題だったのだろうと思います。

そのうえで、奴隷制、奴隷貿易が産業革命の前提になっているということは、原料である綿花については確実に言えます。イギリスが利用したいちばん最初の綿花は、海島綿と言われる種類のもので、カリブ海でとれました。のちに使われる綿とは別のものですが、カリブ海がはじまりと言っていいでしょう。それがカリブ海から、リヴァプールに入ってきます。リヴァプールから出ていく船はアフリカに行きますが、そのアフリカ西海岸で喜ばれるもの、それが綿織物でした。鉄砲はもちろん喜ばれますけれども、当時のアフリカ西海岸のベニン王国などの暑いところでは、いくらイギリスに毛織物があるからといっても、毛織物は喜ばれません。それで綿織物にならざるをえないということがありました。こうして、綿花がリヴァプールに入ってきて、綿織物が出ていくという構造があり、その後背地のマンチェスタで綿業を展開する。それは論理的にも理解しやすいことでした。

産業革命の資金源

一方、資本という観点からすると、先ほどの奴隷貿易はどれだけ利益があったのか、奴隷貿易であがった利益が、ほんとうに産業革命の資金源になったのかどうか、この点は議論がありうると思います。

奴隷貿易業者が綿織物業をはじめたという例があれば、簡単に説明できますが、そういう例はほとんどありません。リヴァプール、マンチェスタなどランカシアに漠然と富が蓄積されたということは言えるでしょうが、ダイレクトにそれで綿織物業がファイナンスされたとは言いにくいと思います。

とすると、結局、産業革命をはじめた資本はどこから来たのかという問題が残ります。昔、マルクス主義が全盛であった時代には、経済の発展は、すなわち、資本制生産関係の発展と考えられていました。しかも、資本は擬人化されたところがかなりありました。つまり、資本の起源の問題が、資本家の出自の問題にすり替えられたのです。私は、資金の問題に戻すほうが、もう少しわかりやすくなると思います。

産業革命の資金は、ほんとうに奴隷貿易から来たのか、かつて言われたように、毛織物工業が次第に発展して生まれたのか。結論から言いますと、毛織物工業からも、奴隷貿易からもダイレクトに資金が来たとは証明できません。もうひとつ、ありえないと考えられるのは、ロンドンのシティから資金が来たということです。シティは国の外を向いていますので、「マンチェスタで綿織物工業をはじめたい」という人に、シティの大銀行が資金を貸すことはありえません。ランカシアのローカルな銀行が、シティの大銀行とつながっていて、資金のやりとりがあったという考え方をしきりに出そうとした人たちもいましたが、これもそれほど証明されていません。

では、産業革命の資金はどこから来たのか。

私が若いころ、私と同年代だったと思いますが、S・シャピロという研究者がいました。彼は、『イギリスの国民人名辞典』(*DNB*)を端からあたって、そこに出てくる綿織物工業の創業者が、もともとどこから来たのかを調べました。Aから順番に綿織物業の創始者を調べていって父親はどういう職業か、資金はどこから来ているのかを確認し、Hの項目まででいったのですが、そこで亡くなってしまいました。そこまでの結論では、毛織物業者で綿織物業者に転向した人はひとりも見つからないということでした。毛織物業から綿織物業に転身したという話は絶対ないとは言いきれませんが、基本的にないと考えてよいと思います。

二〇〇九年に書かれた坂巻清さんの『イギリス毛織物工業の展開——産業革命への途』(日本経済評論社)は、たいへん力作で、毛織物工業に関わるいくつかの章のあとにランカシア綿織物工業にかんする考察が置かれていますが、やはりよく読むと、そこのつながりは具体的には見つけられませんし、著者としてもその連続性をとくに主張されているわけでもないと思います。この種の問題は大局の判断が大事で、フィッシャー教授がかつてある論文のなかで用いた比喩を借用すれば、「つばめが一羽飛んできたからといって、夏とは言えない」ように、一例や二例、必死に探しあてたとしても、あまり議論にはならないのが、辛いところです。

一方、奴隷貿易の資金が集まって、リヴァプールに豊かな商人がたくさん出てきたことは事実です。ただ、この人たちが綿織物業に直接融資をしたかどうかも、定かではありません。ある程度はしたかもしれませんが、確たる証拠はないのです。

製造工業を支援しないシティ——イギリス経済構造の二重性

シティの資金がダイレクトに入ってきたということは、すでに見たように、ないだろうと考えられます。イギリスは製造業と金融の世界はきれいにわかれています。ロンドンのシティは金融の世界で、それこそがジェントルマンの世界だと言われるようになっていきますが、製造業に従うことは、ジェントルマンであることと矛盾する、つまり、製造業に手を出せば、ジェントルマンでなくなるというのが、イギリスの伝統です。だから、オクスフォードやケンブリッジを出た人は、シティの証券会社、銀行には入っても、製造業に入っていくことはなかったのです。

そうなると、産業革命の資本は、ほんとうはどこから来たのでしょうか。いまのところ私がとっている結論は、産業革命の初期、とくに綿織物工業などにおいては、いわゆる資金の問題はなかったということに尽きます。

パートナーシップで事足りた創業資金

綿織物の工場には、外から見ると立派なものもありますが、だいたいはレンガを積んで、屋根がふいてあるだけです。イギリスには地震がありませんから、レンガには鉄筋すらはいっていません。台風も来ない、災害のあまりない国なので、非常に簡単な建物です。窓をつけると、機械のノウハウを盗まれるというので、できるだけ窓もつけなかったと言います。

日本ではこういう建物をつくるには、まず土地を買わなくてはなりませんが、イギリスは土地を買うという習慣は一般にはありません。地主ジェントルマンは広大な土地を持っていて、それを貸しております。土地というのは借りるのが原則ですから、借り賃はかかりますけれども、土地を買うこととくらべれば安くすみます。イギリスでは、地価をあらわすのに、「年買い」という言葉を用いました。地代の額が決まっていて、たとえば地代を一〇年間とりつづけたら元がとれるという場合を「一〇年買い」と言います。産業革命のころは、「二〇年買い」に近かったでしょうから、毎年の地代は買い取る価格の二〇分の一くらいですむわけで、それほど高くはつきません。

実際に綿織物工業を見ると、機械を発明した人と、他の仕事で少し資金をためた人たちとが集まって、事業をはじめています。こういうやり方は、パートナーシップと言われています。当時、株式会社はつくることができませんでした。一七二〇年に南海泡沫事件が起こり、そのあと泡沫会社禁止法が出されます。今日よく知られている「バブル」という言葉は、このときにできました。この株の大暴落事件をうけて、新しく株式会社をつくることが禁止されたのです。東インド会社やイングランド銀行など、もとからある例外はありますが、株式による資金集めという方法は、綿織物業にはなかったのです。したがって、ノウハウをもっている人と少しお金をもっている人が集まってはじめる、パートナーシップが一般的であったとされています。

のちに蒸気機関を売りだす、ボールトン・ワット商会というのがあります。ボールトンは実業家で、ある程度資金をもっていて、一方のワットはノウハウをもっていました。この二人がセットではじめたわけです。

実際、スタートのときにはそれほど資金はかかりませんでした。機械を使うといっても、当時の機械はおおかた木でできていて、大工や指物師がつくったり、発明した人が自分でつくったりしているケースが多いので、のちのように巨大な設備をそなえつけるのとはちがいます。

もちろん、その後、設備もだんだん大がかりなものになっていきますが、それは得られた利益を少しずつ戻していく「プラウ・バック」とよばれる方式を採っていきます。つまり、自己資金でだんだん大きくなっていくということです。そういうかたちを取りますので、綿織物工業の展開自体に、スタートの時点で莫大な資金が必要だったということはありません。そこまで一般論にしてしまっていいのか、という疑念もあるでしょうが、大まかにはそのように考えております。

社会的間接資本の問題

もちろん、産業革命には、資金はいらなかったということではありません。他の国の工業化の例を見てもわかりますが、ひとつの国が工業化されるためには、莫大な資金が必要です。ひとつの工場をつくるためには、いま言ったようにそれほど資金はかかりませんが、ひとつの国が全体として工業化されるためには、莫大な資金が必要でした。

何に必要だったのかと言えば、いわゆる社会的間接資本です。工場をつくること自体はたいした問題ではなくて、道路、労働者の住宅、河川の改修など、いかに環境をつくっていくか、これに大きな資金が必要となりました。

いちばん重要なのは交通革命のための資金でした。最初は馬車を使っていましたから、道路をなんとかしなくてはいけません。馬車の交通が増えると、道路の舗装が必要になります。産業革命時代には、マカダムが有名な舗装道路をつくっていきますが、それまではローマ時代とおなじ道路技術でした。

それから河川です。イングランドには高い山がありませんので、テムズ川でもゆったりと流れていて、水量も多い。今日の日本の河川は急流で水が少ないという特徴がありますが、昔はもう少しゆるやかで水もあったのだろうと思います。イギリスの場合は、高度差がないので、それだけ水量も多く、河川の航行はかなり容易でした。それでも、途中に段差があると「ロック」とよばれる装置で、船の移動を可能にしたり、障害物を取りのけるなど、河川の改修が必要でした。

道路の場合、資金を出しあって、道路をつくる財団（トラスト）を設立します。一七世紀後半に最初のターンパイク（有料道路）トラストができますが、実際に動きだすのは一八世紀の中ごろです。現在の日本の道路の料金所のデザインは、この一八世紀イギリスのターンパイクのそれをほとんど踏襲したもののように見えます。当時のことですから、二頭立ての馬車はいくら、荷馬車ならいくらなどといったことが書かれた料金表が掲げられていました。

それから河川の航行も、ところどころ関所のようなものをもうけて、お金をとります。河川だけでも、全国かなりのところに行けるようになりましたが、行けないところは積極的に運河を掘るようになります。

交通革命のなかでいうと、鉄道はあとの時代のことですが、有料道路、河川の改修、運河を掘るといった事業には莫大な資金がかかります。土木工事をともなう話ですから、土地の所有者との交渉もあって、簡単にはできません。綿織物の紡績工場をはじめたアークライトのように、パートナーシップだけではできません。

一八世紀、産業革命の過程がはじまったころ、こういった事業に対して、どのような人が投資をしたのでしょうか。有料道路のトラストに投資をしたのはどのような人なのか、という研究は個別的にいろいろあるのですが、それを見ると、やはり地主ジェントルマンです。毛織物業者が、投資するということもなくはないですが、たくさんあったとは考えられません。

プライヴェイト・アクトの世界

第一に、地主ジェントルマンと、毛織物業者では財力がちがいます。毛織物業者には、あまり巨額の資金は出せません。それから大きな問題としては、こういう投資には、土地の処分をともなうという問題があります。大規模に土地を処分するには、この当時のイギリスでは、プライヴェイト・アクト（private act）とよばれる法律をつくらなくてはなりません。このプライヴェイト・アクトは、パブリック・アクト（public act）の対語なのですが、なかなか日本語にしにくい言葉でもあります。全国的に適用されるパブリック・アクトに対する意味で、個別法と訳す場合もありますが、昔の英米法辞典には、私法律と書いてありました。

プライヴェイト・アクトとパブリック・アクトは、どちらも議会が制定する法律で、制定された数も、一八世紀にはだいたい同じくらいあります。個人の権利や所有権に関わることを、議会が決める場合にプライヴェイト・アクトが適用されます。たとえば、誰か特定の人の土地を囲い込むといった場合はプライヴェイト・アクト、一般に、囲い込みを全国的に禁止するというような規定の場合は、パブリック・アクトになります。ふつう、世界史の教科書に出てくるような法律は、すべてパブリック・アクトの話です。しかし、じっさいに、イギリスの法令集を見ると、ほぼ半分はプライヴェイト・アクトで、外国人のイギリスへの帰化を認めるというような案件も、プライヴェイト・アクトで処理されます。

プライヴェイト・アクトのなかで一番多いのは、地主の当主が放蕩《ほうとう》で財産をなくしてしまうと一族が困るので、地主の財産が分散しないようにする法的措置で、「家族継承財産設定」、英語では family settlement と言われるものです。財産をなくさないように、厳格にしたものを厳格継承財産設定と言い、ほとんどは長男が結婚するときに設定されるので、婚姻継承財産設定とも言われますが、どの面から見るかによって言い方が異なるだけです。

『嵐が丘』の結婚――継承財産設定

この継承財産設定というのは、からくりがなかなか難しいので、あまり理解されていません。私が論文で書いた際にも、それはちがうと言われたことがあります。ともあれ、この継承財産設定は、『嵐が丘』や『ジェーン・エア』、『エマ』など、産業革命当時に女性が書いたたくさんある小説のメイン・テーマになっています。

家族継承財産設定は、ごくわかりやすく言うと、地主の財産が分散しないように、現在の地主の所有権を制限する手続きです。現在の地主が、一族の土地を、たとえば未成年の孫に譲る。そして孫から現在の地主が借地をする形式をとります。こうすると、当主は借地人になってしまうので、この土地を売ることはできなくなるのです。極端な場合は、長男が結婚をするときに、いずれ生まれてくるはずの孫に譲るというようなことがおこなわれました。藁《わら》人形を孫に見立てて、その孫に譲るという儀式的なことをしたという話もあります。しかし、その孫が成年になれば、所有権が発生しますから、孫が売り飛ばしてしまう可能性が出てきます。そこでまた継承財産設定をやりなおすのです。

こういうのはヨーロッパ大陸でもありまして、ナチスの時代に非常に奨励されました。しかし、イギリスでは一八世紀が圧倒的に盛んで、その後なくなっていきます。

この継承財産設定は、プライヴェイト・アクトの代表的なもので、だいたい長男の結婚のときにおこなわれ、それと同時に、次男、三男や娘の処遇が決められます。遺産相続や婚姻のときの持参金の話もそこで決まるのです。

お嫁にくる女性の将来の財産権も、婚姻継承財産設定で決まります。一般的には、地主の家にくる女性は必ず持参金を持ってきます。資産家の娘ではないけれども、チャーミングで、上流のジェントルマンに気に入られて結婚したという女性が仮にいたとしても、持参金がないと、後で非常に苦しむ仕組みになっています。一六六〇年に王政復古で国王に復帰したチャールズ二世の妻、ポルトガルのブラガンザ王家出身のキャサリンは、インドのボンベイ島（現ムンバイ）を持ってきました。

すでに述べましたが、戸主が亡くなったときに、子どもが残された母親の面倒を見るという習慣は、基本的にイギリスの社会にはありません。寡婦は、寡婦で生きていかなければなりません。寡婦は持参金として持ってきたものの一〇分の一を年額として、年金を受けとるというのが基本的なパターンです。持参金がないと、寡婦になったときに年金がないので、生活ができないことになります。厳しい話ですが、夫の家族からすると、たくさん持参金を持ってきて、早く死んでくれたほうがありがたい。一〇年以上夫より長生きをする女性を奥さんに持つと、その家系としては「婚姻政策」に失敗したということになります。よく知られているように、当時は結婚が家系にとって最大の致富の方法でしたので、「婚姻政策」、「結婚市場」という言葉は、この時代の地主社会ではふつうに使われていました。

そのようなこともあって、婚姻継承財産設定、囲い込みなどがプライヴェイト・アクトのかたちで、処理されていました。道路、運河をつくるためにも、やはりプライヴェイト・アクトをとらなくてはなりません。プライヴェイト・アクトをとるためには、議員への働きかけも必要になってきます。資金も、国会議員とのコネも必要です。これは庶民レベルで処理できる話ではありませんから、ジェントルマンが出てくることになります。

それにしても、こういった分野に、たとえば昔から毛織物業を営んでいたような「産業資本家」はなぜ投資をしないのか。答えは簡単で、彼らの損得勘定の時間の幅からすると、道路などをつくっても儲からないからです。有料道路（ターンパイク）のトラストは二一年間通行税をとる権利を認められています。運河もそうだと思います。なぜ二一年なのかわかりませんが、二一年くらいしないと、元がとれないということもあるのでしょう。二一年たつと、この道路は無料になります。そうなると、経済合理主義を前提とする産業資本家の立場では、危なくて投資できません。莫大な資金を二一年間凍結するようなことですから、リスクが大きいのです。

これはイギリスだけでなくて、あとから工業化していく日本やドイツのケースを考えても、同じことです。

日本やドイツのような後発資本主義国では、道路を誰がつくったかというと、公的な主体です。これらの国では、工業化、殖産興業といったことが国家目標として定められますから、国家あるいは地方自治体など、公的機関が道路などをつくります。現在でも、どんなに民営化マニアの新自由主義者でも、道路づくりを民間に任せれば、道路が国中にできるはずだとは考えません。道路をつくってもなかなか儲からないので、道路建設に、国が資金を出すことはいまでもあります。イギリスの産業革命時代においても、産業資本家、つまり経済合理主義的に経済計算で儲かるかどうかだけを計算している人たちにとっては、そういったところには手が出せません。

では、そのような儲からないところに、地主ジェントルマンはなぜ手を出したのでしょうか。それは、経済非合理主義的な発想、言い換えればジェントルマン的な発想から出ています。一円の保護者としてのメンツ、箔《はく》とでも言うのでしょうか、隣の領地まで立派な道路がついているのに、自分の領地にないのは恰好が悪い。隣の領地には学校があるのに、自分のところにないのはみっともない。こういった発想が、道路や学校などをある程度つくらせていく要因になっています。もちろん利益が上がるかもしれないと思ったのも事実でしょうが、それだけではありません。だから、後発資本主義国で国家が意識的にすすめていたようなことを、ジェントルマンは無意識におこないました。それは経済合理主義とはまったく異なる発想です。

経済合理主義に徹した経済人、つまりアダム・スミスの言う「経済人」(ホモ・エコノミクス)が、イギリスを埋めていたとしても、産業革命は起こらなかったでしょう。イギリスの場合、国家は何もしないと言っているわけですし、ホモ・エコノミクス的な産業資本家は、直接、儲かること以外はしない。そうなってしまうと、産業革命は起こらなかったはずです。しかし実際には、ジェントルマン的な発想で、経済的な損得を中心に考えなかった人たちがいて、しかもその人たちは大金を持っていた。そういう条件があったのではないかと思っています。

産業革命研究が福祉国家への道を用意した

産業革命はこのようなかたちで起こりました。産業革命については、技術の条件、経営のノウハウがどこから来たのかなど、考えるべき問題は、ほかにもいろいろあるのですが、それは省略いたします。ただ、産業革命の研究でもっとも重要視されてきた問題をもうひとつお話ししておきたいと思います。

産業革命という言葉自体を誰がつくったのかという論争が、昔からあります。かつては最初に産業革命を研究したのは、アーノルド・トインビーという人物で、彼がこの言葉自体をつくったというのが通説でした。私もいろいろなところでそのように書いていました。

トインビーは、有名な『歴史の研究』を書いたトインビーのおじにあたり、同姓同名です。孔子も、キリストもそうですが、偉い先生は自分では本は書かない、と言いますが、『歴史の研究』のトインビーのおじも亡くなったあと、その教え子たちが彼の講義を集めて、本にしました。これが産業革命研究の出発点とされてきました。ただ、このような見方は、マルクス主義の見方を避けようとする傾向からくる偏りがあって、ほんとうは、マルクスの親友であったエンゲルスこそが、産業革命の最初の本格的研究者だとするほうが正確なようではあります。

トインビーは、いまで言う社会政策学の先生で、しかもロンドン・イーストエンドのスラム改良の運動をしていました。ロンドンのイーストエンドに現在もトインビーホールというホールがあるのですが、この人を記念して、彼の死後につくられました。

一九世紀の後半、ヴィクトリア時代のイギリスは、世界経済のヘゲモニーをにぎり、繁栄を誇っていました。しかし、その繁栄しているはずのイギリスの首都の真ん中に、イーストエンドという世界最大のスラム街ができてしまった。これはいったい何なのか、なぜこんなものができたのか、これは、いろいろな人が抱いた疑問なのですが、トインビーはその改良運動をおこなっていました。イーストエンドの改良運動から、救世軍の運動やセツルメント（隣保館）の運動など、いろいろな福祉・社会改良の活動が出てきます。

こうして、毎日、スラムの現状を目の当たりにしていたトインビーも、イギリスはすごく豊かなはずなのに、なぜ、いつ、こうしたスラムが生まれたのかという疑問を抱きました。当時の知識からすれば、中世の牧歌的な農村社会には、このようなものはないはずでした。しかも、スラムはあきらかに都会のものと思われました。時期的に言えば、一七六〇年に即位したジョージ三世のころから工場ができて、都会に移住する農民が多くなってきた、と彼は考えたのです。昔の教科書には、「イギリス産業革命は一七六〇年にはじまった」などと書かれていました。これはトインビーがジョージ三世のころから、と言ったのを、一七六〇年からと置き換えて書いてしまっただけですから、何かとくに経済史的な理由があったわけではありません。

ともあれ、そのころからイギリスの社会はしだいに変化しはじめました。工場ができて、都市化が進行し、多くの人びとがそこで働くようになって、社会が変質したとトインビーは考えました。彼の考えでは、農村の地主と小作人は、非常にウェットな親子のような関係であったのが、工場の人間関係は非常にドライな、労働時間を金で買う金銭的な関係になってしまったため、世の中が非常に悪くなったというのです。

こうした考え方は、オリヴァー・ゴールドスミスの有名な長編詩「見捨てられた村」などにも見られますので、当時、広く支持されたイメージとなりました。

トインビーは、こうした変化を産業革命とよぼうと提案しました。この「産業革命」によって、まさしく問題のスラムが発生したのだというわけです。産業革命の結果、金持ちになった人もたくさんいるけれど、多くの人がスラムの住民になるような悲劇を味わった。工場労働はつらい、厳しい、低賃金の労働の場であるというのが、彼の見方でした。

このような、初期の産業革命論は、のちに生活水準論争とよばれる論争のなかでは、「悲観説」と言われるものになりました。このあとハモンド夫妻、ウェッブ夫妻などいろいろな研究者が出てきますが、彼らはいずれも、この流れで研究をすすめました。ハモンド夫妻などは、とくに農村から都会へ人びとが出ていくプロセスを追いかけ、「囲い込み」で追いだされた農村の人間は、不本意ながら都会の工場労働者になっていくのだとしました。日本の高校の教科書も、私が習ったころはそう書かれていました。古典的な産業革命論とは、こうしたものでした。

トインビーやハモンド夫妻、ウェッブ夫妻などは、生活水準が悪化しているのだから、福祉政策が必要なのだと主張しました。産業革命で富を蓄えた人もいるのだから、福祉政策をうまく展開すれば、イギリス社会はすばらしい社会になりうる。しかし、このまま放っておくと、強欲むきだしの資本主義の発想が跋扈《ばっこ》して、世の中が悪くなる。こういう議論を立てましたので、彼らの産業革命論は、社会福祉学の一分野のような性格をずっと持ってきました。

新自由主義につながっていく産業革命論

ところが、第一次世界大戦の影響が収まった一九二〇年代になると、アメリカを中心に、欧米では、非常に景気がよくなります。かつてのマルクス主義者は、この時代のことを「資本主義の相対的安定期」とよんでいたくらいです。第一次大戦のあと、アメリカが非常に栄え、ロシア革命が起こりますが、イギリスもつられるかたちで景気がよくなったという時代があります。そうしたころ、一九二六年に、J・H・クラパムというケンブリッジ大学の先生が『近代イギリス経済史』という本の第一巻を書きます。この巻は、いわゆる産業革命時代を扱っているのですが、この本の表題には産業革命という言葉はありません。「初期鉄道時代」というのが副題です。

クラパムは、この本のなかで、これまでの産業革命論をほぼ完全に否定します。まず、実質賃金の統計のようなものを作成し、産業革命で人びとの生活が悪くなったというのはまちがっていると主張しました。それに、産業革命という「革命」があったというのも大げさで、変化はゆるやかで漸進的であったと言うのです。経済の発展である以上、昨日と今日が劇的にちがうということがありえないのは当然で、「革命」というのは言い過ぎだとしました。クラパム以降のこうした考え方は楽観説、連続説などと言われています。

最初の産業革命論は、劇的な変化を想定し、それで人びとの生活が悪くなったと考えたのに対して、この説は、産業革命があったから、人びとの生活はよくなった、つまり産業革命のおかげで、一九二〇年代の今日のイギリスの繁栄もあるのだ、という議論です。こうして、最初の悲観説的な産業革命論は、「トインビー伝説」、あるいは「ハモンド神話」などとして批判されるようになります。

この論争はある意味で現在までつづいています。最初は賃金が研究されましたが、賃金は地域、場所、職種によって事情がちがいすぎるという問題があります。賃金以外の現物給付がどれくらいあったのかもよくわかりません。一日の賃金はわかっても、一ヵ月まるごと働けたのか、滅多に仕事がなかったのかなど、いろいろな条件がわからないので、実質賃金の研究は実際には、ほとんど不可能なのです。そんなこともあって、たとえば、比較的最近では、食べ物がどのくらい豊富だったかというような、具体的な生活状態に関する研究がたくさん出るようになりました。

ロンドン大学は歴史研究をおこなっていたこともあるためか、悲観説をとっていました。これに対しケンブリッジ大学は楽観説をとっていました。ケンブリッジ大学はじつは経済史研究を嫌った大学です。クラパムが出てくるまでは、産業革命史研究はおこなわれませんでした。マーシャルという有名な経済学者がいましたが、この先生は、女性が社会科学を研究するなどとんでもない、と言って女性研究者を追いだし、追いだされた女性のほとんどはロンドン大学に行ったと言われています。産業革命研究の初期に、ロンドン大学周辺で活躍した女性の研究者が多かったのには、こういった事情もあったようです。

それはともかく、こうして、楽観説では実質賃金が研究されましたし、現在でも、ある特定の町の特定の業種の賃金が、産業革命のあいだにどれくらい変わったかという研究は、ときどき出てくるのですが、総合的な議論はできていません。

決着しない論争

一番新しい試みとしては、計量歴史人類学があります。生活水準の変化の判定史料として、当時の人びとの身長を調べようとする研究で、ひとしきりはやりました。身長が最終的に何センチになるかは、栄養状態でかなり変わってきます。ある国民の身長は、人種的に決まっていて、変わらないと思う人もいるかもしれませんが、戦前の日本人と現在とでは、よほど大きなちがいがあります。これはあきらかに生活水準が上がって、身長が伸びているのです。じっさい、イギリスでは、大きな戦争に苦戦するたびに、自国兵士の体格が相手より劣ることが指摘され、福祉の推進が国防上も必要だと主張された経緯もあります。アメリカ独立戦争では、植民地側兵士にくらべて、国王派兵士は背が低かったと言われ、一九世紀末のボーア戦争でも、そのことが指摘されました。

最終的な身長だけではなく、年齢とともにどこでピークになるか、ということも栄養状態ととても関係があるとされています。栄養失調だと、ピークは後ろのほうにずれるのに対して、栄養状態がよいと、中学生くらいでも、大人のようになるので、そうしたピークを調べていこうというわけです。

志願兵として入隊した兵士、犯罪者、オーストラリアに送られた囚人などのデータを使って、たとえば、都会の労働者の身長と、農村の労働者のそれを比較しました。農村の生活環境は、工業化前の一般の人たちの生活環境でもあるわけですから、ここからは産業革命にともなう都市化が、人びとの身長にどういう影響を与えたかが推定できるはずです。

しかし、まことに残念なことですが、この調査の結果でも、結局、悲観説、楽観説、両方の意見が出されて終わってしまいました。私も、移民や兵士や犯罪者のデータを長く扱ってきましたので、しばらくこの方法を試してみましたが、たしかに途中の議論は面白いのですが、どうも結論はわけがわからなくなってしまいました。

したがって、この論争——「生活水準論争」——は、結局、双方とも自己主張をするばかりで、実証的に決着することは無理だとわかりました。資本主義や工業化社会の現状を批判的に見るか、肯定的に見るかという、世界観や心情の問題となってしまったのです。

ともあれ、悲観説は、「だから福祉政策が必要である」というように、福祉政策を推進しようという政策論にリンクされていました。このことは大事なところで、そのあとも、論争は、資本主義に批判的なグループと資本主義擁護のグループとの対立関係へとつながりがちになりました。

実質賃金は計算できるか

私の考えは、つぎのようなことになります。まずはじめに、統計の話をしておきましょう。全国的な実質賃金統計を出せればいいのでしょうが、実質賃金を出すためには物価指数を算定しなくてはなりません。

物価史については、いちばんまとまった資料が、ロンドンにありました。それを集めたのは、ベヴァリッジ卿です。第二次大戦がはじまった直後に、『ベヴァリッジ報告』という、福祉の世界では非常に有名な報告書を出して、「揺りかごから墓場まで」というスローガンのもとをつくった人です。卿（ロード）とあるように、ベヴァリッジ卿は貴族ですが、ロンドン大学にその名を冠したホールがあるくらいで、ロンドン大学と深く関わりのあった人です。ベヴァリッジ卿の妹ジャネットはリチャード・ヘンリ・トーニーの夫人でした。トーニーの歴史研究、経済史研究は、ベヴァリッジ卿の福祉政策の展開と密接にからみあっています。

ベヴァリッジ卿は、『報告』を出すにあたって、ヨーロッパ各国の歴史的な賃金と物価の統計を集めました。イギリスの統計については、出版されていますが、それを使っても、実質賃金や物価の時系列統計は、実際にはとてもつくれないことがわかりました。というのは、そのデータは、大学の寄宿舎や軍隊に納入された商品の価格なのですが、一〇〇年くらいおなじ数字がつづいています。要するに、契約上の数字なので、中身は変わっていても、表向きずっと同じなのです。

また、理論上は、実質賃金は物価指数で名目賃金を割ればいいのですが、物価指数はどんな商品を基礎とするかで変わりますから、一人ずつちがいます。ですから、厳密には、いまでもすべての日本人にあてはまる物価指数などというものはないと思います。自動車に乗らない人間は、間接的にはともかく、直接的には自動車の値段が上がっても関係ありません。自動車のガソリン代が下がったと言われても、生活が楽にならない人もいます。

それだけではありません。クラパムなどの楽観派は統計を使うと言いますが、歴史学で時系列統計をつくるということには、根本的な問題点があります。時系列の統計がとれるということ自体が、歴史学的には、一定の前提条件をふくんでいるのです。

時系列上、何かをカウントして、数字をならべていくと、折れ線グラフや棒グラフができます。しかし、何かをカウントするということは、その「何か」がずっと一定の意味をもって存在していることを前提にしています。たとえば光熱費とは何でしょうか。光熱費の定義をしないと、統計はとれません。江戸時代の光熱費を定義するとすれば、行灯《あんどん》と油の値段ということになるのでしょうか。しかし、行灯と灯油の価格をずっと調べていっても、電気やガスを使う時代になれば、そんなものは無意味です。つまり、生活のパターンが変わってしまうと、こういう時系列統計はナンセンスになるということです。いまは光熱費としては、電気代とガス代を考えなければなりません。ろうそくを使っていたときはろうそくが光熱費です。電気ばかり統計をとっても、ろうそくばかり統計をとっても意味がありませんし、もっと極端なことを言えば、現在もろうそくで生活している人にとっては、電気の統計をとられても関係がないことになります。

ですから、個人差の問題もありますが、時系列統計をとって実質賃金を出したというのは、生活のパターンが変わっていないことを、はじめに前提としてしまっていることになるのです。だから、こういう統計をとると、結論が連続説になり、劇的な変化はありませんという話になるのは当然です。時系列統計をとっていること自体が、劇的な変化がないことを前提にしているからです。クラパム派の方法は、まさにこのような陥穽《かんせい》に落ちこんでいると言えます。

田舎で裏の山で薪をとり、川で水をくんで暮らしていた人が、ロンドンやマンチェスタに出て、水道代を払い、石炭を買って生活しなければならなくなったとき、いままでとおなじ賃金のデータをならべることはできないはずです。生活のパターンが変わってしまっているのだから、連続した統計はとれないと考えるのが正解でしょう。だから、この楽観説、つまりクラパム派の統計技術というのも、歴史的な問題の解決には、かなり深刻な欠陥があるということになります。

誰が買ったのか——需要の問題

生活水準の問題については、賃金統計などではなく、直接、人びとの生活そのものを見ることが必要です。産業革命を消費、需要という側面から見ていこうという私の考え方は、ここから出ています。

世界で最初の産業革命は、イギリスの労働者がピューリタンの教えにもとづいて、禁欲につとめ、勤勉に働き、合理的な行動をしなければならない、と考えるようになった結果、起こったのだという考え方があります。しかし、そういう考え方にしたがえば、イギリス人が勤勉に働いて、禁欲的にして、できたものは誰が買ったのかという問題が残ってしまいます。消費需要の拡大が説明できないのです。

実際には、イギリス国内で、いろいろなものがどんどん売れるようになっていったことがわかります。つくったものは売れて、売れたからつくられたのです。そうすると、それを買った人たちは、いったいどういう人たちなのか。どうしてそこに購買力が発生したのか、ということが問題になります。輸出需要もありますが、内需にかんしてはそれが問題です。

その点は、じつは産業革命の初期にどういうものが売れたかということを考えていくと、かなりヒントになります。この時代に売れたものは、まず綿織物などの衣料品や陶器が挙げられます。ほかに、鉄でいうと、バーミンガム製、シェフィールド製のものが多くて、鍋釜や釘のようなものも増えていきますが、多くは刃物やナイフ・フォークなどの食器、金属のボタン、ベルトのバックルなどです。したがって、こういうものをつくる産業が発展していきます。

こういうものは誰が買ったのでしょうか。つまり、衣服、日用品、台所用品などをつくる産業が、産業革命の初期に展開したのは、そうしたものへの需要が、急に増えたからです。では、それを買ったのは誰でしょうか。これらの商品を見ると、そのほとんどが、主婦の買いそうなものです。お金が入ってきたときに、主婦ならばこういうものを買う可能性があります。男性であれば、パブで飲んでしまうというのが、ふつうのパターンでしょう。だとすると、どうも女性の可処分所得が増えていくと考えるのが、もっとも可能性が高いと思われます。

女性と子どもの雇用

産業革命の時代には、賃金が安いから、女性と子どもがたくさん使われたと言われてきました。それはその通りです。女性や子どもが、低賃金で危険なところで長時間労働をさせられるから、かわいそうだということで、工場法ができ、福祉政策ができ、社会主義がでてくる。ふつう、この時代の歴史は、教科書的にはそのように説明されます。しかし、じつのところ、産業革命時代の女性や子どもの労働が、異様に悲惨であったのかどうかは、生活水準論争の重要な議論の分かれ目なのです。

女性や子どもは、成人男性にくらべてあきらかに賃金が低かった、これははっきりしています。いろいろなデータを見てもそうなっています。

では、それまでとくらべてどうなのかという観点で見ると、それまで女性は家事だけをしていて、子どもは学校に行って勉強していればよいと言われていたかというと、そんなことはありません。女性も、子どもも、前工業化社会においても猛烈に働いていました。農家でも、小さいころから子守をさせられたとか、藁運びのような農作業をさせられたということが、のちに読み書きができるようになった労働者の自伝などにも書かれています。織布工の家では、織布工だけではなくて、妻も子どもも、当然、手伝いをしていたのです。

産業革命期に工場で働く子どもたち（D. Hill, *Georgian London*, 1970, Macdonald & Co. より）

こうした家内労働の形態を見ると、家のなかで戸主の監督のもとに、家族がワン・セットで労働がおこなわれていました。「家族」が社会の最小単位でしたから、外に向かっては、戸主だけが代表権を持っていました。

たとえば、産業革命の後半に、選挙法が改正されたことは、教科書にも大きく出ています。第一回選挙法改正は一八三二年におこなわれますが、このとき選挙権を与えられるのは「一〇ポンド戸主」と言われています。家賃が年間一〇ポンド以上の家に住んでいる戸主、つまり成人男子に選挙権が与えられていて、女性には選挙権は与えられていません。また、同じ家に住んでいても使用人とかであれば、年齢が上であっても選挙権は与えられていません。結局、産業革命時代になっても、家族が社会の最小単位で、戸主がその代表であり、家族の従属メンバーである女性・子ども・使用人は「社会的には無」であるという、一七世紀の「政治算術」家たちと同じ社会観・家族観が生きていたということです。

戸主にしかステイタス＝職業がなく、女性や子どもは〇〇の奥さん、〇〇の子どもと言われていて、その人たちに固有の社会的な地位は、高い、低いではなく、そもそもないと考えるのが普通です。戸主が代表者になっているから、家族労働でたとえば織物を織ったとしても、賃金は戸主が代表してもらう。見かけ上、戸主の収入ということになってしまいます。妻や子どもも働いていて、その労働の成果も入っているのだけれども、全体が戸主の収入ということになってしまう。これが工業化以前の家族と労働のあり方のひとつのパターンだったと言われています。

変容する家族

長期的に見ると、工業化は、このかたちを大きく転換することになるのですが、少なくともまず工場ができると、妻や子どもが、戸主の監督の行き届かないところで雇用される可能性が出てきます。実際に産業革命の綿織物業では、比較的後期、ミュール紡績機ができるころになると、この傾向が決定的になると言われています。

その理由は、主に働く人と補助的な人の比率が、個々の家族構成とはあわなくなったからだとされています。そのため家族をまとめて雇用する可能性があまりなくなったのです。それがなくなっていくと、妻や子は戸主とは別々のところで雇用されるようになってしまい、ちがう職場の職場長の命令に従わざるをえなくなります。もともとは、家族のなかの戸主の従属メンバーであった人たちが、昼間の時間は、別の人の命令をきくようになる。これは戸主の立場からすると、とんでもないことで、だから女性や子どもは工場で働くのはかわいそうだという声が出るようになったというのが、いまではわりあい一般的な理解です。

女性や子どもの労働は低賃金で、とても苛酷であったので、保護しなくてはいけないといった問題もたしかにありました。しかし、じつは、女性や子どもは、以前から厳しい労働環境にありました。問題は、戸主の家族に対する監督権というか、リーダーシップがなくなることにあったわけです。

他方、女性や子どもの労働の成果は、ともに安いけれども賃金というかたちで明確化されるようになります。従来は、彼らの報酬は戸主のそれに吸収されていて、特定されることは少なかったわけですが、妻や子どもが、いわば独立の労働者となることで、その所得も明確化されました。誰が稼いだのかがはっきりすると、処分権にも影響を与えるものと想定されます。ただ、いまでも、日本ほど妻が家庭の財布を握っている国はないと言われていますので、当時のイギリスにおいて、奥さんが家庭内で、どこまで強く発言できるようになったのかはわかりません。それでも、妻や子が自分の稼ぎを、現金収入というかたちで持つようになった、これが産業革命で起こったことのひとつであることはまちがいありません。

しかも、女性や子どもは、いままでの戸主のそれとはちがう支出のパターンを持ったものと想定されます。おそらくは、ナイフやフォークや陶磁器のような台所用品とか、綿織物のような衣料品などといったものを買う方向に向かったのではないでしょうか。つまり、それこそ、産業革命の初期に大発展をとげた産業の製品でした。

この点については、つぎのようなデータも豊富にあります。すなわち、同時代の同じ町に住む労働者階級の家庭のなかでは、働ける子どもがたくさんいる家庭が、むしろいちばん豊かになっているということです。とくに、工場ができて、妻や子の働き場が得られた新興工業都市では、この傾向が顕著であったとされています。マンチェスタ周辺の紡績工業の都市などはその典型です。

こうして、予想に反して、工場ができたようなところでは、子どもがたくさんいる家は、労働者のなかでは比較的豊かだったことがわかりました。むしろ、もっとも貧しいのは、他のところでは産業革命が起こっているのに、工場も何もできなかった地域でした。いまの日本でも、いろいろな地域の自治体などが、企業誘致に熱心なのはそのためでしょう。

女性や子どもが非常に悲惨だというのは、戸主であった男性の声で、本人たちはそんなには思っていなかったのかもしれません。これが、ひとつの基本的な考え方です。ここまで考えると、産業革命を消費需要の観点から説明できることになります。

衣服はどこでつくられたのか——ロンドンの産業革命

女性の可処分所得が増えたために、台所用品やアクセサリー、衣料品といった商品が多くつくられ、国内で需要されていくことになります。綿織物も同じですが、ただ、繊維品については、マンチェスタなどの工場で布ができたとしても、布地をそのまま売るということはあまりありません。これを着るもの、使うものにしなければなりません。ものによってちがいはあるのですが、衣料品の加工業の場所で圧倒的に多いのはロンドンです。

トインビーの産業革命論は、ロンドンのイーストエンドにスラムができたというところからはじまったのですが、考えてみると、少しおかしいところがあります。産業革命は、ロンドンで起こったわけではないからです。むしろ、産業革命はロンドンから遠く離れた西北部のランカシアなどで展開しました。では、ロンドンのスラムは、ほんとうに産業革命で生まれたのでしょうか。

チャールズ・ディケンズといえば、『オリヴァー・ツイスト』や『二都物語』などを書いた、英文学史上もっとも有名な小説家の一人で、彼は産業革命時代の社会をよく描いた人物とされています。しかし、彼が描いているのは、主にロンドン、とくにイーストエンドの貧しい人たちのことでした。

ディケンズは、もともと『モーニング・クロニクル』というロンドンの新聞の記者でしたが、同じ社の後輩にヘンリー・メイヒューがいました。

メイヒューは、イーストエンドから人をよびだして、報酬と引き替えに、彼らがそこでどのような生活を送っているのかを聞き取って記事にまとめました。日本でも、何度か抄訳が出たことがあります。もとは四巻本になっている大きな本で、いちばん最後の巻は、日本をふくむ世界の売春について、詳しく記述されています。明治維新の直前に出た本ですから、日本の情報に詳しいのには驚きます。ともあれ、このメイヒューのイーストエンドについてのレポートも、産業革命時代のイギリス社会の悲惨さを示す例として、よく引用されています。しかし、考えてみると、これも変な話です。

トインビーからはじまって、一連のよく引用される材料というのは、だいたいがロンドンの話です。しかし、ロンドンではふつうの意味での産業革命は起こっていません。ロンドンは、シティを中心とした金融の世界で、産業革命が起こっているのは、はるかかなたのランカシア地方や中部地方です。とすると、産業革命時代の社会の典型と称して、ロンドンのスラムの例を引用するのは、正しいのでしょうか。

ロンドンにスラムができたことと、ランカシア地方のマンチェスタに工場ができたことには、直接的には関係がありません。というより、工場で雇われている人は、工場から給料をもらっているので生活ができますが、スラムに落ちこんでいる人は、雇われるべき工場がないから、貧しいのではないでしょうか。ここに微妙な議論のずれがあります。しかし、他方では、産業革命が起こった時代に、ロンドンのイーストエンドにスラムができたことも、まちがいのないことです。もしかすると、両者は、どこかでつながっているのではないでしょうか。つまり、マンチェスタの発展と、ロンドンのイーストエンドの成立とは、相互に無関係に展開したのではなく、ひとつの国内システムをなしており、一枚のコインの裏表のような関係にあるのではないでしょうか。以下、この点をさぐってみましょう。

産業革命が起こって、イギリスが全国的に豊かになってくると、その富の多くは、政治的な理由、文化的な理由でロンドンに集まります。前にふれたロンドン社交季節が長くなると、地方の富裕な人びとが、半年くらいロンドンで暮らすようになりましたから、それだけでも、富はロンドンに集中することになりました。税制も、同様の働きをしました。全国から徴収された租税の多くは、政府官庁のあるロンドンで消費されたからです。いまの東京と同じで、一極集中が起こり、ロンドンは世界一の消費都市になっていきます。

そうなると、具体的な消費財がロンドンに集まります。消費財は国内から来るものもありますが、諸外国から来るものが多いので、ロンドンには船で入ってきます。イギリスの港というと、たとえばリヴァプールを考えるかもしれませんが、規模が圧倒的に大きかったのは、ロンドン港です。こうして、産業革命時代、ロンドンの港湾機能は急速に発達します。一八六〇年に、ロンドン港の活動の全容を書いた、大ドックの経営者の書物がありますが、それは壮観です。

港がスラムを生んだ

ところで、歴史的には、かつてロンドンの港はどこかという大論争がありました。テムズ川の岸辺であることはわかっていますが、どこからどこまでがそうなのか、南岸も港なのか、というようなことです。言い換えれば、ロンドン港で荷物の上げ下ろし、つまり、荷役をする特権をもっている人夫たち――シティ・ポーターといいます――の特権が、どこまで有効なのかという問題でした。

シティ・ポーターは人数が限られていましたから、交易量が激増した産業革命時代には、要領は悪いし、時間も、費用もかかり、あまりにも非効率と思われるようになりました。シティ・ポーターというのは税金をとるため、検量もやっています。たとえば、砂糖は高いので、綿密なはかりを使って量ります。長崎の出島でも、砂糖を同じような方法で量っていました。シティ・ポーターは、仲間のあいだでさまざまな仁義というか、相互扶助の原則のようなものをつくりあげていて、それはとても面白い世界ですが、話がそれすぎますので、別の機会にしましょう。

シティ・ポーターたちが特権をもっている範囲が、法律上のロンドン港だったのですが、荷主たちが、このシティ・ポーターを避けたい、頼みたくないと思ったのは当然です。ポーターといえば、極貧の肉体労働者の典型でもありましたが、特権をもっている人たちは、自分では仕事をしないで、もっと貧しい人びとに働かせて、ピンハネをしている状態でもありました。港にスラムと暴力団が発生しやすいというのは、日本でもイギリスでも同じです。私は、一六世紀から一九世紀くらいまでにかんするかぎり、港湾活動こそがスラムをつくった第一の要因だと思います。

いずれにせよ、一九世紀初頭になると、ロンドン港はたいへんな混雑となり、リヴァプールなど、よその港を利用する荷主も多くなってきました。シティ・ポーターの非能率が、批判の対象となったのは当然です。客船の場合は、テムズ川の河口付近で降りて、あとは馬車でロンドン入りするというのが普通のことになりましたし、他方、荷物は、船がロンドン港の混雑に巻き込まれている隙に、窃盗にあうこともしばしばとなりました。ロンドンで、陸上よりも早く「テムズ川警察法」が制定されて、水上警察ができたのは、このためです。

それにしても、こんなことでは、荷主や海運業者はたまらないので、シティ・ポーターを使わずに荷役をすませる合法的な手段を模索します。

そこで考えられたのが、テムズ川から水をひいて、大型船を係留できる「プール」をつくることです。「ドック」とよばれるこのプールは、個人の所有地につくられていますか

（上）テムズ川（ロンドン港）とドック（1803年）。この5年前にテムズ川警察創設
（下）1845年のロンドン塔とドック（上下ともS. K. Al Naib, *London Docklands: Past, Present, and Future*,1990より）

ロンドン・ドックでの茶の荷おろし（1877年）（S. K. Al Naib, *London Docklands: Past, Present and Future*,1990より）

ら、ポーターが特権をもつ「ロンドン港」ではありません。こうして広大な土地にひろがった水面こそが、今日、ドックランド（複数にしてドックランズと言うほうが普通ですが）と言われている場所です。ドックというのは、船を修理するところではなく、荷物のあげおろしをするところです。

一九世紀はじめの一八二〇〜三〇年のうちに、インドや西インド諸島から来た船の入る東インド・ドックや西インド・ドックをはじめ、ヴィクトリア・ドックなど巨大なドック群が完成しました。テムズ川の北岸が中心ですが、サリー州のコマーシャル・ドック群など、南側にも多数のドックがつくられました。これらのドックは、個人のジェントルマンの所有地ですから、そこで荷役をしても、シティ・ポーターに頼まなくてよいということになります。もっとも、最後は紛争になって、シティ・ポーターの権利は国家が買い取ることになりました。ちょうど、同じ時代のカリブ海の奴隷解放に際して、奴隷の所有者に公的な代償が支払われたのと同じでした。考えてみると、奴隷の所有者でなくて、奴隷にこそ補償がなされるべきだったのですが。

ともあれ、こうしてドックランドが開発されて、そこで荷役をするようになりましたが、シティ・ポーターは使わず、周辺から貧しい失業者をかり集めます。というより、イギリス中から、あるいはアイルランドから、たくさんの人が、あそこに行けば仕事があるというので集まってきます。そうしてできたのがイーストエンドです。だから、イーストエンドは、ドックランドなのです。

ダイオスのスラム研究――鉄道がつくったスラム

都市のスラムというものが、どうしてできるのか。一九六〇年代からはじまった都市史学会というのがあります。第一章でふれたH・J・ダイオス教授というギリシャ系イギリス人研究者がつくりました。まえにもみたように、それまでの中世都市研究や古代都市の研究とはまったくちがった、近世・近代の都市を研究対象とする集団です。

それまでは、すくなくとも近代都市は、歴史学の対象にはなっていませんでした。それにダイオス教授が考えたことも、歴史学も重要な柱になりますが、都市工学、公衆衛生学、経済学など、多方面の研究者を集めて、いわば「現在の都市問題の歴史的起源」をさぐろうという趣旨でした。

結論から言えば、現在の都市問題の多くは、中世都市にはさかのぼれません。中世都市の研究者はたくさんいますが、中世都市には、いわゆる「都市問題」はあまりありません。交通問題が中世都市にあるかと言えばないですし、外国人居住者というか、エスニック・マイノリティの問題も、ほとんどありません。いまの「都市問題」と言われている問題は中世にはほぼありません。じっさい、中世都市研究は、領主の支配からいかに市民の自由が守られたかという、都市自治などの問題を中心に研究されてきたのです。いわゆる社会史がひろがって、取り上げられる問題は多様化しましたが、中世都市研究をいきなり現代の都市問題とリンクさせるのは無理があります。

だから、中世までさかのぼることにこだわらず、現在の都市問題につながっていくような、たとえばスラムの問題などを取り上げるのが、ダイオス教授の研究スタイルでした。この研究スタイルは評判になり、いろいろな分野の研究者が参加して大発展をとげ、イギリスでは「ダイオス現象」と言われるくらいになりました。

ダイオス教授自身、スラムを研究していますが、鉄道建設、とくに駅の建設が近代スラムを生んだというのが、重要な結論のひとつです。鉄道や駅をつくるときに、金持ちが住んでいるところには駅はつくれませんから、もとから貧しい人の多い地区に目がつけられます。しかも、貧しい人は通勤手段がないので、仕事場の近くにしか住めない。シティの金融業者や大商人は近世に郊外にジェントルマンらしい邸宅を構えるようになり、イギリス史上、最初の「通勤者」となりましたが、貧民はそうはいきません。だから駅の周辺はスラム化する、というのです。

移民たちとスラム

しかし、私は鉄道以上に、港こそがスラムをつくると考えています。ロンドンはその典型で、港の荷役労働がもたらす雇用が吸引力となって、内外から貧民が引き寄せられて、イーストエンドが形成されていきます。

ここに引き寄せられたのは、イギリス人だけではありません。むしろ、イーストエンドは、だんぜんアイルランド出身者で埋められていきます。彼らはカトリック教徒でしたので、イーストエンドにはカトリックの教会が激増しました。この様子は、のちにこの地区の改良をめざした社会改良家チャールズ・ブースがつくらせた宗教分布図にも明確に見てとれます。

もうひとつは一九世紀の後半になりますが、ロシアなど、東ヨーロッパで、ユダヤ人迫害運動（ポグロム）が起こると、追いだされた東ヨーロッパの貧しいユダヤ人が、イーストエンドに流れこんできます。だからユダヤ教徒の教会（シナゴーグ）も激増します。

船から荷物を積み替えるというのはかなり技術がいりますが、荷物を運ぶポーターの仕事は、まったく肉体労働ですからイギリスの典型的なカジュアル・ワークになっていきます。カジュアル・ワークですから労働組合もなかったのですが、一九世紀の終わりになって、この人たちに組合をつくらせようという動きが出てきます。この運動が一気に盛り上がったのが、ロンドン大ドック・ストライキと言われるものです。このストライキによって、労働組合の運動は、非熟練労働者をも組織していく「新組合主義」という運動へ転換していくことになりました。

このようにイーストエンドからは、歴史を動かすさまざまな現象が起きてきます。いま話したのは、イーストエンドの男性についてですが、女性はそこで針仕事をしていました。こうして、マンチェスタでできた織物を、ロンドンで仕上げるかたちになっていきました。この針仕事は、いわば家庭内内職として成立しており、超低賃金の代表的なものとされました。英語ではこれを sweating trade とよび、日本では「苦汗労働」と訳されています。

こうしてみると、マンチェスタで産業革命が起こったときに、ロンドンにスラムが成立していくということは、ワン・セットの出来事であったことがわかります。世界システム論的に言うと、それは国内の「中核－周辺」関係ととらえられるべきものです。イギリスが工業化するとき、インドが綿花生産地にされていったのと同じです。ロンドンには、世界の富が集中するシティがあったので、ロンドン全体を「周辺」と言うわけにはいきませんが、イーストエンドはいわば、マンチェスタの「周辺」となっていったことはまちがいありません。

アメリカとドイツの台頭――第二次産業革命

産業革命以後のイギリスは、世界経済を牛耳り、「経済的ヘゲモニー」を確立したと言われています。政治的、軍事的な意味もふくめて、「パクス・ブリタニカ（イギリスの平和）」とよばれる状況が生まれました。「パクス・ブリタニカ」というのは、古代のローマ帝国について言われた「ローマの平和（パクス・ロマーナ）」をもじった表現です。こうして最強国家となったイギリスは、ひたすら自由貿易主義を主張しますが、これは、かつてのオランダやのちのアメリカ合衆国と同じで、最強国家にとって、自由競争こそがもっとも好都合なことだったからです。

一八七〇年代までは、こうしてイギリスのヘゲモニー状態がつづきますが、一八七三年にイギリスだけでなく、アメリカ、ドイツなど各国で「大不況」と名づけられた混乱が起こります。さらに世紀末になるとマーチャント・バンカーのひとつ、ベアリング・ブラザーズ商会の経営危機から生じた「ベアリング恐慌」（一八九〇年）が起こります。ベアリング・ブラザーズというと、最近のリーマン・ブラザーズを思い起こしますが、「歴史はくり返す」と言うべきかもしれません。ともあれ、このように、一八七〇年代より後になると、イギリスは相対的に地盤沈下をきたします。

しかも、このように世界的不況のなかでも、ドイツやアメリカは、重工業と化学工業を重点にして、いわゆる第二次産業革命を展開していきます。しかし、イギリスは、この動きに乗り遅れてしまうのです。

なぜ乗り遅れたのかというと、第一次産業革命があったからだ、という説明がよくなされます。社会的にも、経済的にも、一度システムができてしまうと、システムを更新するのに資金がかかるのでできない。いちど蒸気機関車が走ってしまうと、電車にするのは、電線をひいて電化すればおしまいだと考えがちですが、そうもいきません。たとえば蒸気機関車が走ると、機関車のボイラーに石炭を補給する助手たちの組合もありますから、この人たちを馘《くび》にはしにくい。そんなこともあって、新しくやりかえるのは難しかった、と簡単に説明されているのです。もっとも、この説明がどこまで有効なのかは、よくわかりません。

私自身は、イギリスで第一次産業革命が起こって、ドイツやアメリカは第二次産業革命があったけれども、イギリスは第二次産業革命をできなかった、という筋書きでは考えたくないと、このごろ思っています。

というのは、いまのような第一次産業革命、第二次産業革命という考え方でいくと、イギリスには第一次産業革命があるし、ドイツ、フランス、アメリカにも第一次産業革命があるということになります。しかし、ドイツの第一次産業革命、アメリカの第一次産業革命にかんするきちんとした研究は、ほとんどないのです。高校の教科書にはアメリカの産業革命はいつごろからなどと書かれてありますし、米英戦争のころからはじまったなど、いろいろ説はありますが、イギリスのそれのように明確なものではありません。歴史を「国民国家」単位で把握し、「国民経済」の段階的発展を想定する歴史観、つまり、いわゆる一国史的発展段階論そのものが、問題だと思うのです。

むしろタイポロジーというか、ドイツには第一次産業革命はないのであって、いわゆる第二次産業革命がドイツの産業革命であると考えると、ドイツははじめから重化学工業が盛んだった(もちろんその前は繊維業で、イギリスのまねをしていましたが)と考え、アメリカも、いきなり重化学工業の産業革命が起こったのだ、と考えた方がわかりやすい。そうなると、イギリスに第二次産業革命がないのは当たり前で、アメリカに明確な第一次産業革命がないのと同じだと考えればよいのだと思います。

世界システムの一定の成熟度のときに、イギリス型の工業化が起こり、さらに、一九世紀末になって、ドイツ・アメリカ型の工業化が、いわば世界的に生じたのでしょう。後者の中心とならなかったイギリスでは、アメリカやドイツほどには、それが見てとれないということです。

この議論は私自身まだ煮詰まっておりませんが、「ドイツの産業革命」は一八三〇年代に起きた、といったことは言わずに、一九世紀の後半に世界経済が重化学工業を中心にする時代になって、ドイツはそのかたちで工業化しましたと言ったほうが、よりすっきりするのではないかということは考えております。

いずれにしても、一八七〇年代の中ごろから後には、ドイツ、アメリカの成長が盛んになって、ロシアも日本も出てきます。日露戦争のころから、日本にも産業革命が起こったと考えられていますし、いろいろな国で工業化が進行していきますので、イギリスの絶対的優位という状況がなくなっていきます。

こうしたことを反映して、イギリスでは「ドイツの脅威」が声高に叫ばれました。ドイツが台頭してイギリスは危ないというのは、中国が出てきたから日本は危ない、というのと同じような話です。アメリカのことをあまり言わなかったのは、同じアングロ・サクソンの国という——それ自体は事実に反した見方ですが——イギリス人の歴史理解が関係していたのでしょう。ともあれ、これが第五章で述べるイギリス衰退論争のはじまりです。

衰退論争が本格的にはじまったのは、一八七〇年代です。ドイツの重化学工業が成長したことに脅威を感じた人びとが、口火をきりました。アメリカについては、ヨーロッパとかなり異質な社会が成立していて脅威だというのは、フランスの社会学者のアレクシス・ド・トクヴィルなどが、早くから記していますが、ほんとうにアメリカが脅威だという考え方は、イギリスではかなり後まで出てきません。反対にアメリカとの「特別の関係」という外交上の考え方は、よく知られているところです。

したがって、さしあたり、脅威はドイツだということで、いわゆる建艦競争などがくりひろげられます。一方で、自由競争を追求するほど、イギリスの地位はもはや高くないという認識から、ジョゼフ・チェンバレンのような政治家が出てきて、「帝国特恵関税」を提唱します。かつてイギリスが絶対的優位を保っていたとき、イギリスの経済学者は、アダム・スミス以来のレッセ・フェール、つまり、自由貿易を主張しましたが、ドイツでは、イギリスとドイツの歴史的発展段階のちがいを強調して、保護主義を唱える「歴史学派」が生まれました。しかし、いまやイギリスも、経済的に圧倒的な強国ではなくなっている、として、チェンバレンのグループは、いわばかつてのドイツの経済学者と同じような立場に立とうとしたのです。

しかし、現実には、自由貿易を主張しつづけるシティの金融勢力――「ジェントルマン資本主義」――の政治力はなお強力で、チェンバレン・キャンペーンは実りませんでした。このために、イギリス経済は決定的にダメになってしまったのだ、という主張をする研究者が大勢います。「衰退論争」における「シティ犯人説」です。しかし、そのことについては、章をあらためてお話しします。

第五章　イギリス衰退論争——陽はまた昇ったのか

「ドイツの脅威」

一九世紀の終わりにドイツやアメリカの経済が活発になり、やがてロシア、日本、イタリアなど、いろいろな国の工業化が進行してくると、イギリスの相対的優位が失われていきます。

イギリスは、ドイツの台頭でその地位を危うくしつつある、という議論は一九世紀の終わりごろから出てきます。それが、具体的には、帝国の版図を特恵関税による保護市場にしようという「チェンバレン・キャンペーン」につながっていくのです。しかし、当面は、チェンバレン派が政治的に敗北してしまったので、帝国特恵関税は設定されず、第一次世界大戦の勃発する一九一四年までは、自由貿易政策がそのままつづいていきます。

第一次世界大戦直前の時点で、じっさいにすでにイギリス経済は、「衰退」しはじめていたのでしょうか。現在の研究者のあいだでは、当時のイギリスはドイツが台頭してきたことでパニック症状に陥っていただけで、イギリス経済そのものの衰退はなかった、というのが一般的な議論ではあります。

とくにシティは非常に繁栄していました。じつはシティも衰退していたという議論もあるのですが、シティは衰退していないということは、おおかた実証されています。たとえば、シティも衰退したという議論の根拠のひとつは、シティの企業の数が減っていくことにあるのですが、反論もあって、個々の企業は規模が大きくなっていくことが証明されています。また、シティの被雇用者は増えないのですが、金融と情報に関わるシティの本業は、電話一本で世界と商売ができるようになっていくので、それも活動の低下を意味するとは言えないのです。シティの活動は、第一次世界大戦までは、非常に活発であったというのが、一般的な説明です。商業、つまり、実物の取引から金融業へのいっそうの重点の移動は、はっきりしていますが、全体が衰退していたとは言えそうにもありません。

むろん、製造業も元気だったのかということになると、問題でありますが、いずれにせよ第一次世界大戦までは、他の諸国に対して、イギリスはある種の経済的優位を保っていたと考えられています。その後、ロシア革命や大恐慌があり、第二次世界大戦がはじまりますので、政治も、経済も、右にいったり左にいったりするわけですが、問題は、第二次世界大戦後のイギリス経済をどういうふうに考えるかということです。

福祉国家への道

一九五〇年代の中ごろは復興景気でイギリスは非常に景気がよく、そのころには外国人労働者もたくさん受け入れています。住宅建設のための労働者として、イタリア人、東ヨーロッパのバルト海地方などから、ヨーロッパ系の移民、つまり外国人労働者を積極的に受け入れようとします。「衰退論」が語られる可能性はごく低かった時代です。たとえば、食糧事情は、戦争中よりさらに悪化して配給制度が強化されてもいましたが、戦争が終わったという安堵感もあり、戦後復興と第二次世界大戦の初期に提出された「ベヴァリッジ報告」をもとに、「揺りかごから墓場まで」をスローガンとする福祉国家への道をめざしはじめていましたので、前途への希望は高く掲げられていた時代でもありました。

本格的衰退論の出現

ところが、一九五〇年代末から六〇年代初めごろになると、新しいタイプの衰退論が出現しました。このころから衰退論も本格的になり、一九六〇年代後半から七〇年代初めに入ると、イギリスの衰退をめぐる議論が活発になります。イギリスはどうも世界のなかで衰退してきたのではないか、その原因を探る話が歴史学者、政治家、さらには文芸評論家の世界でさえもくりひろげられ、広い範囲で普通の話題になっていくのです。いちばんの問題は、イギリスの経済成長率が、他の先進諸国にくらべて著しく低いのではないかということでした。

イギリス人から見て、アメリカ経済が第二次大戦後、非常に順調であるということだけならば、アメリカの発展は脅威とは考えられていませんから、問題はなかったのかもしれません。しかし、現実には、イギリス人にとって、敗戦国であるドイツが「西ドイツの奇跡」を起こすのを見るのは、かなり深刻なことであったわけです。敗戦国のドイツが猛烈な勢いで経済成長を遂げているのに、イギリスはあまり経済成長しない。そうしているうちに、もうひとつの敗戦国日本が高度成長を達成する。ふたつの敗戦国が大成長をとげたのに対し、イギリスは成長しない。フランスなどヨーロッパ大陸の主要な国の経済成長とくらべてもイギリスの経済成長は低い。

そうは言っても、成長率がマイナスではないという冷静な意見もありましたが、他の地域にくらべて、成長率はたしかに低いことも確認されました。

第二次大戦後、イギリスは福祉国家をめざしていました。労働党はもちろんですが、保守党も保守党なりに福祉の充実ということを言わないと選挙に負けますから、福祉国家路線を否定したわけではありませんでした。ただ、福祉をいままで以上に充実させようとすると、その資金の出所がありません。イギリスの経済成長率が他の国より低いので、福祉国家が実現できない、こういう意味の衰退論、危機感がありました。「福祉国家」政策そのものが、「イギリスの衰退」の原因だという「反福祉」路線にはほんの一歩、というところまで来てしまったわけです。

経済成長率を問題にしたこのような衰退論とは別に、もっと政治的・軍事的な側面に注目した衰退論、いわば、「大英帝国衰退論」とでも言うべきものがありました。こちらも、先駆的な議論は、二〇世紀の初めからあったものです。

イギリス帝国の頂点は、考え方にもよりますが、一九三一年ごろでしょうか。このとき、大英帝国は、ウェストミンスタ憲章によって、「ブリティッシュ・コモンウェルス」(英連邦)に組織変えされ、ブロック経済化します。言ってみれば、チェンバレンの願いが、「大恐慌」として知られる、一九二九年ニューヨーク発の大金融・経済危機を媒介として、実現したのです。しかし、大英帝国が英連邦に変わるということは、イギリスが他の地域を一方的に支配するという帝国のかたちは維持できないということでもありました。

この傾向は、第二次大戦後、インドやパキスタンなど多くの旧植民地が独立する事態となると、「ブリティッシュ・コモンウェルス」の「ブリティッシュ」という形容詞さえとれて、たんなる「コモンウェルス」ということになって、本国と植民地という支配‐従属関係の形跡を消すことになりました。それどころか、最近は、もともとイギリス植民地でもなかったアフリカの国などが参加して、「コモンウェルス」は昔日の大英帝国とはよほどちがった組織となりつつあります。

スエズ撤退――対外プレゼンスの縮小

一九五〇年代の後半になると、イギリスは、スエズ運河地域から撤退します。スエズ撤退は、イギリスの対外プレゼンスの縮小の象徴です。中東の秩序維持の責任は、このときからアメリカに譲ったというのが、イギリスの考え方です。イギリスでなければ、アメリカがなぜそんな「責任」を負わなければならないのか、石油資源などの問題を考えなければ、理解できないはずですが、いずれにせよ、欧米列強の利害を前提にした話であることはまちがいありません。

それから一九六〇年はアフリカの年と言われていますが、六〇年代はアフリカのイギリス領の植民地がいっせいに独立した時期で、世界に覇権を広げていたイギリス帝国は国内だけに縮こまることになります。こういう現象は、そもそも第二次大戦後比較的早い時期からその予兆が見られておりました。

最近イギリス人の研究でたいへん面白いと思ったものがあります。イギリスでは一八五一年に大博覧会が開かれました。万国博のはじまりとされています。世界中から珍しいものを集め、ロンドンのハイド・パークに巨大な総ガラス張りの会場をしつらえて開かれたこの大博覧会は、イギリスが世界経済のヘゲモニーを握り、「イギリスの平和」を実現し

1851年大博覧会の記念品として売りだされたコットン・プリント地のハンカチ

たことを内外に示す歴史的イヴェントとなったものでした。

それからちょうど一〇〇年後の一九五一年、終戦後六年ですが、大博覧会一〇〇周年を記念して、あらたな博覧会をテムズ川周辺で開催しました。「ブリティッシュ・フェスティヴァル」と名づけられたこの博覧会のことは、一〇〇年前のそれとはちがって、世界的にはあまり知られていません。というのも、そもそも、大英帝国の偉容を見せようとした一〇〇年前の博覧会とは、その趣旨がまったく変わっていたからです。戦後のイギリスの心意気を見せようという試みであったこの博覧会は、はじめから、もっぱら国内向けで、福祉国家への前進のために、イギリス人が団結することをうたう趣旨の博覧会になっていたのです。

この博覧会もそうですが、スエズ、アフリカから撤退をし、アメリカに肩代わりしてもらうというかたちになりましたので、イギリス帝国の衰退というのは、客観的な事実ととらえることが比較的簡単で、あまり異論の余地はないように見えます。

しかし、こういう現象は、衰退のしるしではないという意見もありました。有名な伝記作家の一族で、ジョン・ストレイチーという労働党の理論家がいました。私の学生時代には、彼の著書の翻訳書『帝国主義の終末』が古本屋にたくさん転がっていました。日本でもよく読まれたと思います。イギリスは帝国を失ったけれども、かえって負担が軽減されて元気になるのだ、というのがその趣旨でした。イギリス人のなかに強く残っていた、昔の大英帝国の繁栄を懐かしむノスタルジックな気持ち——大英帝国衰退論——を払拭《ふっしょく》し、対外プレゼンスより、国内の福祉国家建設に向かうべきだという立場を表明したものです。

帝国は拡大しすぎていたのか——経済の二重構造

帝国の問題と衰退論の関係は、元軍人の家族や、帝国の植民地にいた人たちの思いから語られることがありますが、まったく逆の意見もあります。それはイギリスの衰退の原因は帝国にあった、という考え方です。

この考え方は、イギリスは世界中をおさえようなどと思っていたが、それは国力にあわない拡大のしすぎであったというものです。世界中をおさえようとしたために、むしろイギリスは経済的に脆弱《ぜいじゃく》になった。国内で投資をしなければいけないときに、帝国支配のほうに資金がいってしまっていて、肝心の投資ができなかった。イギリスとは逆に、国内の投資をおこなったドイツや日本は急成長した、という考え方です。

この考えも古くからあります。たとえば、一九五〇年代の終わりごろに、衰退論の口火を切ったひとり、A・ショーンフィールドの立場は、こうしたものでした。帝国への投資は、シティが融資のかたちでおこなうものが中心でしたから、シティが中・北部の国内工業にはあまり投資をしない、という問題とセットにして考えられたのです。

ここには、中・北部の製造工業とロンドンの商業・金融という、伝統的なイギリス経済の二重構造の問題が明確に読み取れるわけです。先走って言えば、近代以降のイギリスでは、政府もまたシティ寄りで、開発国家的な政策はとらなかったと言われています。

こうした対外プレゼンスに問題があったというショーンフィールドの意見に対して、むしろイギリス人の保守性にイギリス衰退の原因を求めるM・シャンクスのような立場も、同じころに出現しました。イギリス人は経済的に新しいイノベーションのようなことをやらない。そのひとつの理由は労働組合が強く、あらゆる改革に反対をするからだ、という議論です。この二人が第二次大戦後初期の衰退論の典型をなしています。このふたつの議論が、これからあとも、「衰退」を事実とする立場に立つ人びとのベースになっていきます。

シャンクスの議論の変形版として、中道左派の科学史家C・P・スノーによる、よく知られたレクチャーもありました。スノーは、イギリスは科学技術を大事にしない、文学・芸術ばかり大事にしていることが問題だと主張しました。フランス語はいらないと言った石原東京都知事とよく似た意見のようにも聞こえます。ギリシャ語やラテン語が何の役に立つのだ、そんなことを教えているあいだにも、ドイツや日本は技術革新をすすめているという議論です。教育の問題は、このあと、衰退論の中核をなしていきますので、注目しておく必要があります。

ところで、こういうイギリス衰退論というのは、どういう立場をとるにせよ、政治家には非常に受けました。保守党も労働党もこういう議論を採用していきます。

原因のとらえ方はさまざまですが、イギリスは衰退している、だからわれわれが政権をとって回復させるという論理で、新しい内閣が成立するたびにこのようなことを言うのです。

「早すぎたブルジョワ革命」

一九六〇年代の終わりごろになってくると、衰退論はますます盛んになってきます。はじめのうちは学問のなかの議論で、なかでも盛んだったのは歴史学の世界でした。意外かもしれませんが、歴史学の世界でイギリス衰退論をいちはやく出してきたのはマルクス主義者です。

左翼のなかでも旧左翼に属するホブズボームや、新左翼系の歴史家、たとえばペリー・アンダソン、トム・ネアンらは、世界でいちばん最初に「市民革命」が達成され、世界で最初の産業革命に成功した資本主義国イギリスが、今日なぜ衰退の憂き目をみているのか、という問いを発し、マルクス主義の範囲内で答えを出そうとしました。「市民革命も産業革命も早すぎた」というのが、その結論です。

イギリス市民革命（「ブルジョワ革命」）は、一七世紀中ごろの「ピューリタン革命」――これを「革命」とよぶ人は、イギリスではそんなに多いわけではないのですが――と、世紀末の一六八八年に起こった名誉革命をさすのが、マルクス主義者のあいだでは一般的ですが、この市民革命は早すぎたというのが、彼らの議論です。

市民革命とは、ブルジョワ、つまり資本家の活動を封建的束縛から自由にする革命のはずですが、一七世紀のイギリスには、近代的な工業はありません。したがって、そこに典型的なブルジョワがいたのか、ということが問題です。ピューリタン革命や名誉革命と言われているものを掘り下げていき、革命議会の議員になった人間を調べていっても、産業資本家などひとりも出てきません。産業資本家、つまり当時の言い方では、マニュファクチャラーなどは、国会議員にはなれないのがイギリスでした。議会には、基本的に地主や専門職のジェントルマンしか出ておらず、せいぜい、ジェントルマンに近いとみなされるようになった貿易商など大商人や金融業者くらいが、中央の政治をやっていたわけです。つまりジェントルマン階級が政治をしている国ですから、国会議員には産業資本家がいるはずがないのです。

むしろ、マルクス主義的な階級史観に反対した研究者たちが研究したのですが、議員をいくら洗ってみても、産業資本家と言えるような人は出てこないことは、早くからわかっていました。このため、一部の新左翼の歴史家たちは、イギリス市民革命は「代理革命」だったのだという主張をしました。国会議員になっているのはジェントルマンだけれども、彼らは産業資本家の利害を代表して政策を遂行したのだ、という議論です。しかし、これもかなりこじつけで、ピューリタン革命と言われているものを、戦後の日本で流行したように、産業資本家と伝統的な地主などの封建勢力との闘いとみるのは、とても無理だというのがいまでは一般的な考え方です。

こうして、一七世紀には、産業資本家という意味での「ブルジョワ」はいなかっただろうという話になりました。では、イギリスにおける「ブルジョワ革命」とは何だったのか。多くの新左翼の人たちの理解では、一七世紀においてブルジョワと言えるものは、まさに、実際にイギリスの議会を構成していた「ジェントルマン」たちのことだ、ということになりました。産業資本家とは言えませんが、封建貴族ともちがうような人たち、ブルジョワになりきらないブルジョワとでも言いましょうか、そういう人たちが中心勢力になっている革命であると考えました。じつはこれこそ、かつて、いわゆる「ピューリタン革命」に先立つ一世紀のあいだに、宗教改革にともなう修道院の解散などを契機として、「資本主義的経営」で勃興してきた「ジェントリ」と、時代に対応できずに没落していく「封建貴族」の対比を解き明かしたR・H・トーニーの立場でもあったのです。

イギリスでは革命が早く起こり、それは市民革命の典型であったと、戦後の日本の歴史学は教えました。イギリスでも、若きクリストファー・ヒルのように、そう考える歴史家はいました。しかしこれは根本的なまちがいで、いわば、まだ完全な姿のブルジョワがいないときに起こったブルジョワ革命であったわけです。だから、むしろ非常に不完全なブルジョワ革命になったと言えます。「ジェントルマンライクなブルジョワ革命」です。

この体制が固定し、現在までできているので、イギリス社会はブルジョワ社会になりきれていない。ブルジョワ革命がじゅうぶんにおこなわれていない。これこそ、新左翼の歴史家たちがつくったイギリス市民革命論なのです。

もっとも、この議論には、イギリスとの対比で、フランス革命を「典型的市民革命」と見る暗黙の前提がありますが、フランスは、経済発展で世界をリードしたことは、歴史上一度もないのですから、この前提そのものも、どこかおかしいと思われますが、それにしても、この「早すぎた」がゆえに「不完全な」市民革命という見方は、のちにマーガレット・サッチャーら新自由主義者たちが、「官」による規制を緩和し、資本家や企業の活動にとっての自由を拡大すべしとして、強引な「改革」をすすめるときに、都合よく利用される一面も持っていました。

「早すぎた産業革命」

同じような議論は、少しのちになって、産業革命についてもおこなわれています。イギリスで工業がうまく発展しないのはなぜか、アメリカに抜かれてしまうのは仕方ないとしても、ドイツ、日本に抜かれてしまうのはなぜか、日本の自動車のほうが有名になるのはどういうことか、という話ですが、それは、イギリスでは、まだいろいろな技術がない時期、つまり第一次産業革命しか起こりえない時期に、産業革命が起こったからだと考えます。一度、産業革命が起こってしまうと、二回目の産業革命は実際にはなかなか起こらない。ドイツやアメリカ、日本は後から産業革命を起こしたから、はじめから第二次産業革命のようなものになっている。ドイツやアメリカで第二次産業革命が起こったとき、第一次産業革命の定着していたイギリスは、にわかに転換することができなかったというわけです。イギリスの社会も、教育も、技術も、産業構造も、すべてが「陳腐化」していったのです。一度できたさまざまな制度や枠組みは、急には転換できず、のちの歴史展開を決めていくという考え方は、マルクス主義者でない「制度学派」とよばれる研究者グループのあいだでも、「経路依存」として知られています。

ともあれ、ホブズボームや新左翼のマルクス主義史家たちは、イギリスはブルジョワ革命も、産業革命も早すぎたから、非常にアーカイック（古風）な形態になり、それが固定してしまったと考えました。アーカイックになったということは、地主つまりジェントルマン的な価値観が非常に色濃く残っているということです。この点は、歴史学の世界でも、広く認められるところとなりました。

『英国産業精神の衰退』——衰退論のピーク

一九七〇年代、日本で『イギリス史研究』というタイプ印刷の雑誌が出されました。この雑誌を出したのは私の先生の越智武臣さんや、東京の松浦高嶺さんや今井宏さんたちのグループです。私も参加させてもらいましたが、いま述べたような議論が、最新の市民革命論として紹介されていました。『イギリス史研究』のメンバーは、どちらかというと、戦後史学の主流派とは異なることを言おうとしていた人たちです。

このあと、私とそれほど年齢の変わらないマーティン・ウィーナーというアメリカ人が一冊の本を出版しました（一九八一年）。『英国産業精神の衰退』（勁草書房）という題で原剛さんが訳されています。

この本自体は学問的な本として書かれているのですが、これが転機となって議論が世俗化したというか、ジャーナリズムの世界に圧倒的に広がっていきました。原さんの訳も非常にいいと思いますが、イギリスでは中小企業の社長からファン・レターがたくさん来るほどの、大ベストセラーになりました。

ウィーナーは、イギリスは、経済界でもジェントルマンの価値観が非常に強い、ととらえます。産業革命で、産業資本家が経済力を少し持つようになったけれども、政治力は持てなかった。しかも、一八五〇年代ごろには早くもトレンドが逆転し、ものづくりの産業資本家ではなく、財産を貸してその利潤で生活をするという、ジェントルマン的なシティの人びとを中心とするタイプの資本主義に変わっていってしまった。

実際のイギリス経済の全体を見ても、商品の輸出入では圧倒的にイギリスは赤字になっていきます。国際収支はほぼ黒字を保つか、せいぜい均衡状態なのですが、それは利子所得、海運、保険など、サービス業の所得での大きな黒字のお陰です。だから「世界の工場」としての機能は、一八五〇年ごろには事実上なくなって、実物の取引では、大赤字の状況になっている。

そうなっていくと、なおさら、ものづくり、つまり「実物経済」より、金融、情報といったヴァーチャルな分野に依存する「ジェントルマン的」な性格が強くなっていきます。ジェントルマンは地方の地主だと言われていたけれども、一九世紀の中ごろを境に、ジェントルマンの中核はシティへ移り、ジェントルマンを見たければシティに行けと言われるくらいになったのです。シティで山高帽をかぶって黒い服を着た紳士がジェントルマンの典型ということになり、田舎で狩りをしているジェントルマンの姿は後景に退いていくのです。逆に、シティこそが、古いジェントルマン的価値を好むところになります。

しかも、そのシティが、圧倒的に強い政治力を持つようになったからこそ、製造業を守るために特恵関税を制定しようというチェンバレン・キャンペーンは成功しませんでした。自由貿易主義を貫き、世界中どこでも、いちばん高く借りてくれるところに資金を融資して利子をとるという、シティの発想が勝利をおさめたのです。イギリスでは、その後もジェントルマン的価値観が歴史を貫いていきます。福祉国家への道は、ある意味では、チャリティを必須条件とした古くからのジェントルマンのイデオロギーの表明でもあったわけです。

製造業が重視されない雰囲気は、大学卒業生の就職にもあらわれていました。オクスフォード大学やケンブリッジ大学を出た人はメーカーには就職しない、ということは、かつてノーベル賞候補とも言われた経済学者の森嶋通夫さんが、『イギリスと日本』(岩波新書)で書いています。森嶋さんはロンドン大学で長年教えられて、そういう印象を抱かれたのだと思いますが、トップの大学を出た人は証券会社、保険会社、銀行には入るけれども、メーカーには入らない。かつて東大の経済学部からはじめて野村證券に入った人の話を聞いたことがありますが、帝国大学経済学部を出て「株屋」になったのかと親戚中から言われたというエピソードがあったという日本とは、正反対のところがあります。

イギリスでは「株屋」が上で、製造業に手を染めると、ジェントルマンの資格喪失が起こると、昔から言われていました。私が見つけたのですが、産業革命がはじまる直前、北部の地主ジェントルマンの次男・三男のなかには、思いきって製造業者(マニュファクチャラー)の徒弟になってみた者がいたが、全員、実家とはまるでちがう生活環境に耐えられず逃亡した、という記録もあります。こういう反製造業的な価値観が復活して、パブリック・スクールからオクスフォード・ケンブリッジという教育機関で再生されていく。そこでは、ギリシャ語、ラテン語などの人文主義的教養が非常に高く評価される。外交官試験や公務員試験でも、こうした人文学的教養が重視されました。マサチューセッツ工科大学（MIT）のようなところをつくっているアメリカと競争すれば、当然、技術の分野では負けてしまう。これがマーティン・ウィーナーの観察でした。

彼の書いたものを見ると、私たちも同じころに同じことを論じていたと感じますが、それはともかく、この本が出て、イギリスの衰退はジェントルマンの価値観の問題だという主張が、一種の社会現象になりました。ジェントルマン的な価値観は、福祉国家をすすめ、組合を重視する。一方で科学などは重視しない、経済合理主義ではない。全体として、経済発展にあまり都合のいい価値観を持っていない。イギリスの経済衰退は、まさしく、このようなイギリスの文化の問題だと、ウィーナーは論じました。

マーティン・ウィーナーの本には「文化史的批判」という副題がついています。要するに彼は、イギリス人の古くさく、田舎的な文化や価値観に問題があると考えたわけです。あらゆることができるけれど、何のプロでもない（プロではジェントルマンにはなれません）、広い教養が求められ、大学では一般教養をやって、ギリシャ・ラテン語を習得した人間が社会の上にいくべきという発想がまちがっている、と主張したのです。

ウィーナーはアメリカ人であるために、このような発想をしたということもあります。しかしこうした考え方は、コンプレックスを抱きはじめたイギリス中のあらゆる人たちから、喝采を浴びました。大学の先生や歴史家などではなく、中小企業の経営者などからたくさんのファン・レターをもらったとウィーナーがのちに回顧しているのも、むべなるかなというところです。

『衰退しない大英帝国』――ルービンステインのウィーナー批判

この議論には、じつに多くの人びとが参加していきますが、もうひとりだけ『衰退しない大英帝国』(一九九三年)という本を出したW・D・ルービンステインを紹介しておきましょう。彼もまた、イギリス経済の本質はジェントルマン資本主義とでも言うべきものであるという点では、ウィーナーとまったく同じです。ジェントルマンは、もとは地主だったのだけれど、名誉革命を境に、イングランド銀行が創設され、金融市場が確立して、国債の発行が容易となって、「財政革命」が達成されると、しだいに国債や抵当証券など、証券投資をする者がふえはじめます。イギリスは、国民に重税を課しつつ、歳入の九割以上を戦費か、過去の戦争で蓄積された国債の利子支払いにあてる「財政・軍事国家」の相貌を呈することになります。それでも、フランスとの戦争は連戦連勝で、そこから利益を得る貿易商や植民地関係者、さらには国債保有者たちの支持を得て、重税への不満は表面化しなかったのです。

こうして、証券投資を主な収入源とする富裕者が出現しましたが、この人たちは、一八世紀はじめにはなお、「マネド・マン（金貸し）」とよばれて、ほんとうのジェントルマンとはみなされていませんでした。しかし、産業革命をこえて、一九世紀中ごろになると、このような評価はすっかり逆転し、むしろ、本来の地主ジェントルマンよりも、シティこそが、ジェントルマンの住む場所である、とみなされるほどになりました。ロンドンのシティは、こうして、ジェントルマン的価値観の保存場所として定着した、とルービンステインは説明しています。

しかし、問題はその先です。ジェントルマン資本主義は、シティの金融界に体現されているが、そのシティは二〇世紀後半のいまも元気であり、あいかわらず世界の金融の中心である、とルービンステインは主張します。したがって、イギリス経済は衰退していないし、騒ぎ立てるのはおかしいということになります。

ルービンステインは、イギリス衰退論の背景には、イギリスは産業革命が最初に起こった工業国家だという前提がある、と見ています。しかし、イギリス経済、イギリス文化にとって工業化というものは、じつはほんのひとときの歴史的エピソードであったにすぎず、本質ではないと言うのです。イギリスの経済社会の本質はジェントルマン的なもので、それはいまやシティに体現されている。シティが元気であるかぎり、イギリスはなんの心配もないと考えます。ルービンステインは日本嫌いでもありますから、当時、高度成長のさなかにあった日本のことにもふれていますが、いまに没落するだろうという、見事な（？）予言もしていました。

イギリス経済の本質は、産業資本主義ではなく、ジェントルマン資本主義、つまり、資産を他人に貸しつけることで利益を得る地主・金融資本的なものにあったとする学説は、このあとも、たとえば、P・ケインとA・G・ホプキンズの共同作業に引き継がれていきます。この二人は、イギリスの対外プレゼンスが、シティのジェントルマン資本主義によって維持されていく様子をあきらかにしました。

サッチャー改革とは何だったのか

ウィーナーやルービンステインも、ケインとホプキンズも、すべて歴史学上の、いわば学問的な議論をしていたのですが、衰退論は、同時に、左右ほとんどすべての政治家に利用されました。とくに、これを徹底的に利用したのがサッチャーでした。サッチャーは、労働組合の力が強くて、福祉に傾いたこの国は衰退している、だから、あらためて「ブルジョワ」革命をやると言いました。いわゆる新自由主義的な経済学にもとづいて、経済合理主義を徹底する、ということです。規制緩和とか、民営化とか、私たちが、二〇〇〇年代に、テレビなどで嫌というほど聞かされたことです。経済合理主義を徹底して、工業を発展させるというもくろみでした。改革をおこなえば、イギリス産業は回復し、発展するはずだったのです。そのためには改革の痛みは当然とされて、組合は骨抜きにされ、大学も「改革」を強いられ、大きな痛手を被りました。いまの日本の大学も、その流れのつづきで被害を受けていると言えるかもしれません。

総じて、二一世紀のいまの時点で、サッチャー改革をふりかえれば、どう言えるのでしょうか。イギリス工業が回復することはまったくありませんでした。しかし、いろいろ痛みがあったけれども、金融ビッグ・バンがおこなわれたために、たしかにシティは元気になったようです。サッチャー改革でいちばん元気になったのはシティでした。このことを重要視する立場では、「陽はまた昇った」というような評価もなされました。

第二章でふれた「ペティの法則」を思い起こしてください。一七世紀の西ヨーロッパでいちばん経済水準が高かったのは、金融などの第三次産業に特化したオランダでした。製造業に特化したイギリスは、その後塵を拝していたのです。二〇世紀のイギリスが、金融に特化し、サッチャーがそれを元気にしたとすれば、「陽はまた昇った」のでなくて、何なのかというわけです。

しかし、ここでひとつ、歴史学としては深刻な問題が発生します。シティは「ジェントルマン的な価値観」の保存場所であり、「ジェントルマン資本主義」は、経済合理主義とは相容《あいい》れなかったはずです。シティは、いつから、経済合理主義の巣となったのでしょうか。金融ビッグ・バンがそうさせたのでしょうか。そうだとすると、イギリスの歴史的骨格となってきたジェントルマン資本主義は、サッチャーとともに消滅したことになります。サッチャーの主張どおり、「早すぎたブルジョワ革命」の国が、ようやく本物の「ブルジョワ革命」を経験したことになるのでしょうか。

しかし、この点についても、歴史家の見解は多様です。シティの悪評は、昔からあることで、ふつうは、ジェントルマン的とみなされていても、先にふれた一九世紀末に発生した「ベアリング恐慌」――マーチャント・バンカーであったベアリング兄弟商会の危機から生じた経済危機――のような金融危機や、スキャンダルが発生したときには、シティ＝金融関係者＝悪者説が出てくるのだということを、丹念に跡づけた研究もあるからです。

「衰退」はまぼろしだったのか

もうひとつ、シティはとても元気になっているけれども、外国人ばかりが活動し、もはやイギリスの一部とは言えない、としばしば言われ、「ウィンブルドン現象」ともあだ名されています。ウィンブルドンは、ロンドン郊外の有名なテニスの大会場ですが、ウィンブルドン大会で優勝したイギリス人は長いあいだいません。シティは、それと同じだというのです。言い換えると、シティ自体のジェントルマン資本主義から新自由主義への転換は、シティのグローバル化、つまりウィンブルドン現象そのものを意味したのかもしれません。

リーマン・ショックの前に、イギリス駐在の日本経済新聞の記者たちによる記事をまとめた本が出版されたことがありますが、そこでも、シティは元気だということが強調され、イギリス経済はほぼ立て直されたという意見でした。こうした見解は何も日経の記者たちだけの見解だったのではなく、今度はこういうことを背景にして、二〇世紀の終わりから二一世紀にかけて、歴史学界においてさえ、じつはイギリスには「衰退」などなかったのだという意見が圧倒的になっていきます。

たとえば経済成長率をグラフにしてみると、ヨーロッパ大陸が経済成長をする、日本もある時期から激しく経済成長をする、アメリカも経済成長をする、そうしたなか、イギリスの経済成長は低いと言われていたのですが、経済成長を表すグラフは、起点をどこにとるかで、印象がまるで変わります。たとえば、第二次世界大戦後ではなく、一九世紀の中ごろを起点とすれば、イギリスの成長率は一貫して上位にあって、他のヨーロッパ諸国にくらべて、経済成長が劣っているわけではない。だから時期を変えて統計をとれば、イギリスの衰退は幻であることがわかるという議論です。おおまかな言い方をすると、二〇〇年くらいの幅をとると、西ヨーロッパ諸国は、遅かれ早かれ、ほとんど同じような「成長」をとげていて、だからこそ、いろいろ問題は抱えているもののEUやユーロが成り立っているとも言えるわけです。

こうして「衰退」を統計処理上の幻とする考えかたのほか、きわめてセンチメンタルな議論もなされました。一八世紀のイギリスを革命前のフランス社会である「アンシャン・レジーム」になぞらえ、歴史の因果関係に必然性はなく、すべては偶然であるという立場を主張した聖職者の歴史家ジョナサン・クラークは、「衰退論」は、世紀末にはいつも出てくるムードの一部にすぎないと言うのです。彼は、すでに、二〇世紀のうちから、こうした議論をしていました。要するに、「衰退論」はイギリス人の集団幻想であって、そんなものは実在しないというものです。たしかに、最初に衰退論が出てきたのは、先ほど見てきたように、一九世紀末、まさに世紀末の現象でしたが、二〇世紀末にまた世紀末現象が起こった。それが本格的なイギリスの衰退論で、二一世紀にはきっとなくなるだろう、とクラークは予言しました。クラークの議論には何の論理性も感じられませんが、ある意味で彼の予言は当たったかのようにも見えました。二一世紀に入ると、歴史学界の風潮は、あきらかに、「イギリス衰退せず」という方向に向かったからです。

「衰退感」

「イギリス衰退せず」という考え方は、バリー・サップルという、私にとっては、とても関心の深い経営史学の教授の引退記念講演でも、示されました。サップルという歴史家は、私がはじめてイギリス近世史の研究に手を染めたころ、当時、ケインズ経済学などの手法を用いて、一七世紀初頭のイギリスの毛織物輸出について画期的な研究をした人です。私にとっては、歴史家としての導きの糸となった人物なのですが、その後、おおかたは戦後の新型大学の典型であったサセックス大学で、経営史の研究をされました。この人も、「衰退はない」という議論ですが、「衰退感」はあるというのがその主張の特徴でした。

サップルが問題にしたのは、人間の欲望はどんどん拡大していく。右肩上がりに上がっていかなくてはならないという、先に申しました「成長パラノイア」です。生活レヴェルは上がっていかなければならない、という欲望はあるのだけれども、それに対応した経済成長ができていない。そこがイギリス人の「衰退感」の原因であるというのがサップル教授の見解です。それはそうかもしれないと思います。

歴史における「衰退」とは何か

しかし、ここまでくると、結局、歴史において「衰退とは何か」ということが問題です。それはまた、逆に「成長とは何なのか」という問題でもあります。衰退がなかったかどうかは、衰退をどう定義するかによって変わります。歴史上の衰退を見てみると、ローマ帝国の衰退というのは歴史的なテーマで、一八世紀にエドワード・ギボンが、名著をものしました（このときは別に世紀末ではないと思うのですが）。

一方で、歴史家のあいだには、衰退は美しいものだという、いささか文学的な考え方もあります。ヨハン・ホイジンガというオランダの歴史家が書いた名著『中世の秋』などがそうです。このように衰退の時代を扱った名著というものがいくつかありますが、それらはたいてい文化史で、経済史で衰退を扱った名著はありません。経済史家も、経済学者も、衰退を扱わない、というのは言い過ぎですが、「衰退」をテーマにした経済史の名著はありません。だいたい縮小していく経済史というのは書きたがらないし、経済学でどうしたら経済が縮小するかという研究もあまり聞きません。デフレ・スパイラルとか、縮小再生産という言葉だけはありますが、ほんとうはそれでどうなっていくかという歴史は議論されていません。

少し考えてみると、たとえば一六世紀のヴェネツィアは非常に繁栄していたけれども、一七世紀には衰退した。ヴェネツィア経済の衰退を扱った本もありますが、衰退してどうなったのか、一七世紀のヴェネツィア人は一六世紀のヴェネツィア人より不幸であったのか。そこのところまでは議論がなされていません。

近世の初頭にスペインやポルトガルは対外発展をしますが、やがてフランス・オランダ・イギリスに抜かれていく、と一般に考えられています。しかし、抜かれてしまったスペインやポルトガルの人びとは不幸になったかというと、不幸にはなっていないし、昔の中世の状態に戻ったかというと、それもないわけです。

だからわれわれにとって問題なのは、成長パラノイアということであって、俗に衰退と言われているものはそれほど悲惨なことではない、というのが長年歴史研究に携わってきた私の結論のひとつです。

同じようなことは、オランダについても、アメリカについても言えるでしょう。オランダは、一七世紀に非常に繁栄したけれども、イギリスに抜かれて後塵を拝したことが、戦後史学の主流派の研究テーマでした。そこでは、中継貿易ばかりやっていたオランダのまねをしてはいけないという「教訓」を読み取る人も多かったのですが、しかし、「衰退した」とされる一八世紀のオランダ人は、不幸になったのでしょうか。

そういったことを考えておりまして、歴史哲学上、いま一番面白い問題は、「成長パラノイアの起源」とそれが果たしてきた役割、そしてわれわれが、そのことをどう考えるのかということになるのではないかと思いはじめています。これが、私の当面の課題です。

図1　イギリスとアメリカ合衆国、全欧州の経済成長

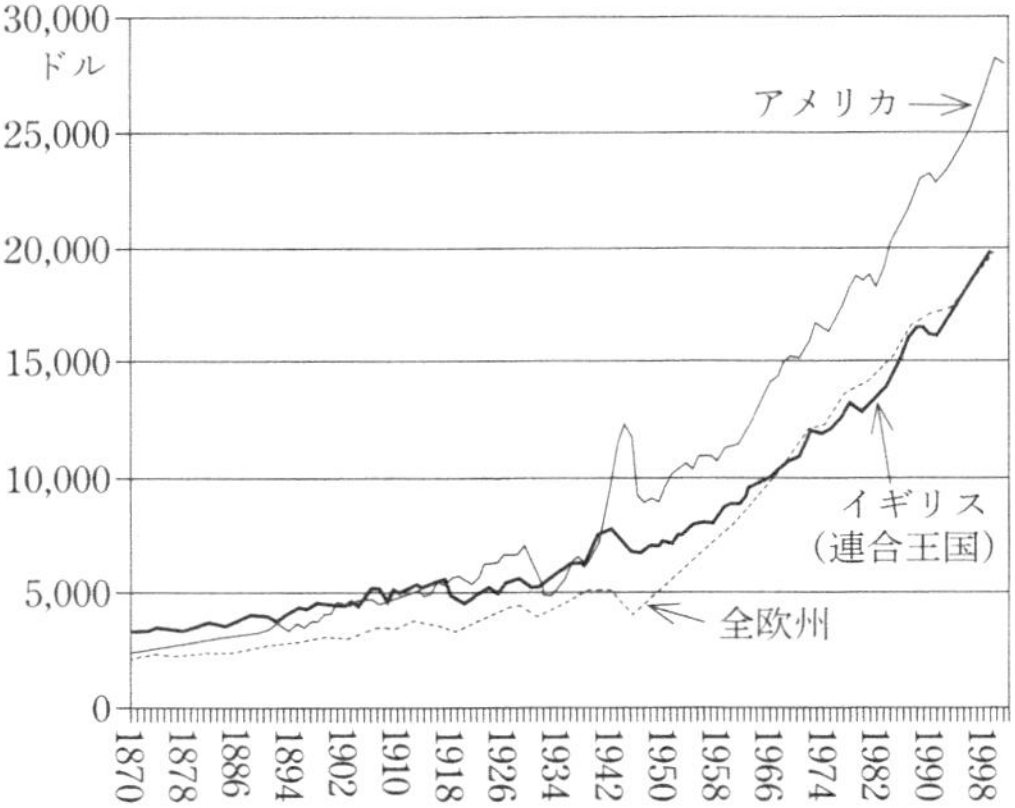

注：「全欧州」には、イギリス（連合王国）自体をふくみ、独・仏・蘭・伊・オーストリア・ベルギー、北欧諸国など12ヵ国平均。A. Maddison, *The World Economy*, OECD, 2003を元にした。C.R.Schenk, "Britain's Changing Position in the International Economy", in F. Carnevali and J-M. Strange, eds., *20th Century Britain*, 2007, p.60.

［解説］1870年頃を起点にすると、イギリスの成長は、アメリカほどではないが、「全欧州」に見劣りはしない。しかし、1950年を起点にしてずらしてみると、以後のパフォーマンスは、かなり見劣りがする。1950年にあったイギリスとヨーロッパ諸国の格差は、完全になくなっている（産業革命時代にあたる1815年頃までの成長率は、低いことがわかっている）。

図2　世界の製品輸出に占めるイギリスのシェア

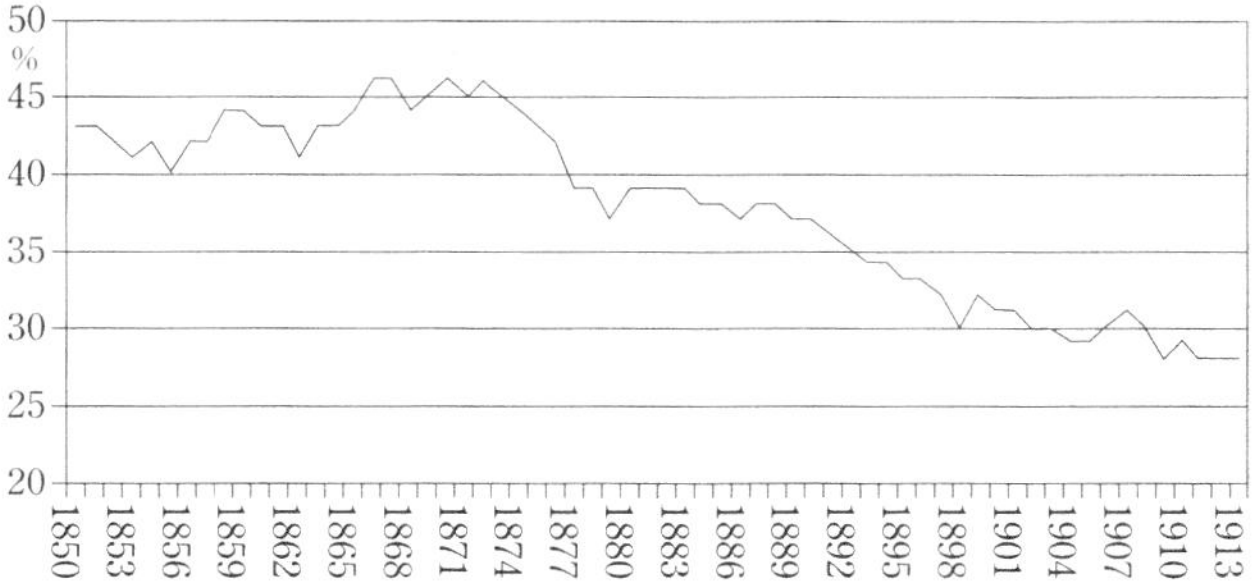

出所：F. Carnevali and J-M. Strange, eds., Ibid., p.61.
［解説］イギリスは、かなり早い時点で、ものづくりの競争力を失い、「世界の工場」ではなくなった。「世界の銀行」としての役割のほうが目立った。

表1　イギリスの一人あたりGNP成長率

1873〜1913年	年間2％
1924〜1937年	2％強
1951〜1973年	ほぼ3％

出所：B.Supple, in *Economic History Review*, XLVII, 1994.
［解説］イギリスだけをみれば、「イギリス病」の時代も、成長率がとくに落ちたわけでもない。つまり、「絶対的衰退」はない。

表2　イギリスと他のヨーロッパ諸国の比較　（年平均成長率）

年代	ヨーロッパ主要12ヵ国平均	イギリス（連合王国）
1890〜1913年	2.6％	
1913〜1950年	1.4％	
1950〜1973年	4.0％	2.4％ (1)
	（「ヨーロッパ経済の黄金時代」）	
1973〜1993年	2.0％	1.54％ (2)

(1) 16ヵ国中16位　(2)16ヵ国中12位

出所：N.F.R.Crafts, in *Economic History Review*, XLVIII, 1995.

表3　1950〜1983年の成長率比較

イギリス（連合王国）	年平均	2.4％
アメリカ合衆国		3.3％
ヨーロッパ主要国		4.5％
日本		7.9％

出所：B. Supple, in *Economic History Review*, XLVII, 1994.

［解説］この二つの表を見ると、イギリスの立ち後れ、つまり、「イギリス病」は、明確である。

つまり、「イギリスの衰退」は、「相対的」なもので、比較の問題である。

表4　主要国の経済成長

国内総生産の地域別・国別成長率：1820－1997年　　　（年率、％）

	1820 –70年	1870 –1913年	1913 –50年	1950 –73年	1973 –93年	1992 –97年	1820 –1992年
西ヨーロッパ（12ヵ国）	1.7	2.1	1.4	4.7	2.2	2.0	2.2
その他ヨーロッパ（13ヵ国）	1.4	2.2	1.7	5.1	0.5	—	2.1
北米等（4ヵ国）	4.3	3.9	2.8	4.0	2.4	3.1	3.6
アジア（11ヵ国）	0.2	1.1	0.9	5.9	5.4	—	1.9
その他とも世界計（56ヵ国）	1.0	2.1	1.8	4.9	3.0	—	2.2
イギリス	2.0	1.9	1.2	3.0	1.6	2.9	1.9
ドイツ	2.0	2.8	1.1	6.0	2.3	1.4	2.6
フランス	1.3	1.6	1.2	5.0	2.3	1.5	1.9
アメリカ	4.2	3.9	2.8	3.9	2.4	3.1	3.6
日本	0.3	2.3	2.2	9.3	3.8	1.4	2.8

注：1. マディソンの推計による。国内総生産のデータは主要56ヵ国の実質値を1990年価格で推計し、それを購買力平価で換算して集計したもの。
2. 西ヨーロッパ（12ヵ国）はオーストリア、ベルギー、デンマーク、フィンランド、フランス、ドイツ、イタリア、オランダ、ノルウェー、スウェーデン、スイス、イギリスをさし、北米等（4ヵ国）はカナダ、アメリカ、オーストラリア、ニュージーランドをさす。
3. 1992－97年のデータはOECDのもので西ヨーロッパはOECD（13ヵ国）、北米等はアメリカ・カナダの計。

出所：A. Maddison, *Monitoring the World Economy 1820–1992*, OECD, 1995, pp.180–183,211. OECD, *Main Economic Indicators*, June 1996, p. 13, Sep. 1998, p. 19.

［解説］1990年代のイギリスは、成長率の回復が顕著であった。表は大和正典『ヨーロッパ経済の興隆と衰退』文眞堂、1999年、4頁より。

エピローグ　近代世界の歴史像

「田舎」と「都会」という問題

私は祭りが嫌いです。歴史学の世界で、社会史というものがはやりはじめた一九七〇年代には、やたら「民衆文化」とやらを持ち上げる人たちによって、それが「民衆の力」のシンボルのように言われたものです。しかし、私にとって、村祭りは、田舎の共同体の排外的な雰囲気の象徴でしかありません。あれは、もはや日本に「田舎」がなくなり、それを知らない都会人たちが、勝手にめぐらせた妄想であったと思っています。

太平洋戦争の末期、大阪・今里のわが家は、眼前まで空襲の戦火が及び、家族は、父親だけを残して母方の田舎である大和高原の寒村に「疎開」しました。私は五歳前後でした。以来、高校卒業まで、この寒村のなかでもとくに貧しい「疎開っ子」として過ごしました。人に聞かれると、いつも「柳生《やぎゅう》の里の隣り」と説明してきた故郷は、いまは半分ダムの湖底に沈んでいます。

私にとってこの故郷は、腹立たしいほど懐かしくもありながら、同時に、思いだしたくもないところでもあります。村にはなお、入会権《いりあいけん》をはじめとして、多くの共同体慣行が残り、貧しい「疎開っ子」にとっては、決して居心地のいいところではありませんでした。秋祭りは、村の閉鎖性を強く意識させられる瞬間でしかありませんでした。

一方では、大阪のことも知ってはいたのですが、小学校の同級生がたった六人しかいなかったこの村で過ごした私は、奈良の高校に入学すると、同級生の「都会っ子」たちが、ひどくまばゆく見えました。大学以後の人生は、古希の今日まで、一貫して京都か大阪で過ごすことになりましたので、いまでは、こぢんまりした奈良が、ちょっと懐かしかったりするのですが、そのころは、奈良が大都会のように見えたものです。

いずれにせよ、そんなわけで、私にとっては「農村と都市」、というより、「田舎と都会」という問題が、いつも胸中を行き来していました。しかし、このような問題でさえ、たんに一国内のローカルな歴史の問題としてはとうてい扱いきれないというのが、私の歴史家としての信念でもあります。だから、この本は、イギリスにおける都市と農村の文化史にとどまらず、それが一国の経済発展や資本主義世界全体の動向にどのように関わっているかということにも、言及することになりました。その結果、全体として、現代を出発点として、歴史をふりかえり、近世や現代をふくむ広義の近代世界の歴史像を浮かびあがらせることができていれば、嬉しいことです。

また、この本は、近代経済史のような、社会史のような、文化史のような、何だかはっきりしない構成になっていますが、歴史をあまり明確にジャンルわけしないほうが好きですし、こんなかたちが自分の関心をいちばんよくあらわすと考えました。

じつは、この本のもとになったものは、近年いろいろな大学でおこなってきた講義です。この間、主な勤務先となってきた大学には歴史のコースがありませんので、歴史学としての厳密さよりも、広く関心を持ってもらえることを心がけて講義してきました。講義ノートというものはつくらず、メモだけでフリーに話をするのが私の講義スタイルですが、この本の直接の原稿は、同僚の玉木俊明さんと旭川高専の根本聡さん、京都大学の西洋史院生、それにお世話になりました講談社現代新書の所澤さんとの四人の方に聞き役にまわってもらい、私が七時間前後、一気に、しかも、一方的に話させていただいたものです。メモもほとんど見ませんでしたので、最初の原稿には、多少、ダブっていることや落ちていることもありましたが、なるべく変更はしないようにしました。そのままのほうが、意図が伝わると思ったからです。記憶ちがいもいろいろあろうかと思いますが、御容赦下さい。

世界最初の工業化はなぜイギリスだったのか

それにしても、この本をつくるにあたっては、いくつかの複雑にからまりあった問題が念頭にありました。

ひとつは、世界で最初の工業化が、なぜイギリスで起こったのかという、古典的な問題です。この問題には、なぜ生産活動が急に活発になったのかという観点から、技術革新や資本形成や労働市場の問題などとして、これまで多くの議論がなされてきました。しかし、ここでは、むしろ、つくられたものが誰に、なぜ買われたのか、ということを問題にしてみました。売れないものはつくりつづけられない、というのがわれわれの社会の原則だからです。

問題をこのように立て直すと、狭義の経済史よりは、広義の社会史、すなわち、家族のありかたや生活のかたちが重要になります。工業化の問題は、むしろ、家族構造の変化や都市化にともなう生活の変化の問題であることがわかります。ここでは、とくに、庶民の生活基盤が農村から都会に移ることで、何が起こったのかということを見ました。イギリスでは、こうした生活文化の都市化は、狭義の産業革命よりはるか以前、ふつうには近世とよばれている時代から生じ、むしろ「最初の産業革命」成立の前提となっていきました。

世界で最初の工業化を読み解くには、都市化の進行を分析することがひとつの鍵です。ほかで議論したことが多いので、本書ではほとんど頁を割きませんでしたが、工業化は、世界システムを前提として起こるものですので、奴隷貿易や植民地の問題も検討する必要があります。しかし、そうした問題も、結局は、庶民生活の変化としてあらわれてきますので、工業化の問題はそのような観点から読み解かれるべきものと考えます。

産業革命の故郷と「イギリス病」

つぎに、工業化の分析には、より遠い将来のことも、見通すものであることが必要です。そこで、第二の問題は、こうして「産業革命の故郷」となったイギリスが、二〇世紀後半には、なぜストライキと失業の「イギリス病」の国になってしまったのか、ということです。この点にかんして、日本では馴染みが薄いのですが、二〇世紀後半のイギリスでは、「イギリス衰退論争」が朝野をあげて盛んになりました。この過程を見ていくと、いまの日本にとって重要な課題が、いろいろ見えてくるという一面もあります。したがって、この本では、そうした論争にもかなりの頁を割きました。

ところで、この問いへの解答としては、広く「文化史的批判」とよばれている議論が普及しました。イギリス資本主義の本質はシティの金融業界に代表される「ジェントルマン資本主義」であるが、このことが、製造工業の発展を阻害した、という趣旨の議論です。このような議論からすると、イギリス経済社会の本質は、二〇世紀中ごろに活躍した偉大な歴史家R・H・トーニーが「ジェントリの勃興」を措定した一六世紀以来、基本的に変化していないことになります。

とはいえ、イギリス衰退論争の大勢は、その後、――私はかならずしも賛成ではありませんが――、「衰退」不在説のほうに傾きつつあります。その場合、重要なことは、イギリス経済の――あるいはほかの国や地域の経済の場合も――繁栄や衰退の基準は何かということです。

「イギリス病」や「イギリスの衰退」が、他の諸国にくらべてイギリスの経済成長率が相対的に低いことに起因しているという点では、論者のほとんどが一致しています。しかし、経済成長とは、そもそも何なのでしょうか。それは、われわれの生活の全体を規定しているものなのでしょうか。さらに、「成長パラノイア」、つまり、「成長」がなければ、それは「衰退」だという議論は、どこから、いつごろ出てきたのでしょうか。これもまた、産業革命よりはるか以前の、近世の産物であるように思われます。

実体経済とヴァーチャル経済

ところで、「イギリスの衰退」は、シティの金融資本、つまり、ジェントルマン的な資本主義のせいにされることが多いのですが、一国の経済成長にとって、ほんとうに重要なのは、製造工業のような実体経済なのでしょうか、金融や情報のようなヴァーチャルな経済なのでしょうか。これが、つぎの視点でした。

イギリス経済がジェントルマン的性格、つまり、金利生活者的性格を強くもっていることは、事実だと思います。イギリス経済の基本性格が、ジェントルマン的であるということは、長年の帝国支配の経験とも結びついて、根が深いものです。

一九七〇年代はじめ、イギリスの西南部に旅行したときの衝撃的な記憶があります。西南部のある町のベッド・アンド・ブレックファースト（簡易民宿）に泊まったときのこと、同宿は犬を連れた高齢の女性ひとりでした。聞けば、家を買い換えようとしたとたんに、インフレが起こって買えなくなったので、赤いルノー一台と犬一匹とともに、こうした宿を転々として暮らしているとのことでした。

しかし、不覚にも、いささか同情してしまった私は、あとで彼女の所得を聞いて唖然《あぜん》としました。「南アフリカのダイアモンド鉱山の株があるので、生活には困りません」と言うのです。「証券に投資をして利子・配当で暮らす」というのは、イギリスでは、別段上流のジェントルマン階層に限定されたことでもなかったらしいのです。しかも、私の経験したこのエピソードには、その投資先がかつての帝国植民地であるという、もうひとつの特徴も垣間見えました。

もっとも、イギリス衰退論争をつぶさにたどってみると、サッチャーの登場とともに、シティに大きな変化が起こったのではないかと思われるふしもあります。つまり、金融ビッグ・バンを契機に、シティは「ジェントルマン資本主義」のパターナリズム(保護者)的な性格を喪失し、反対に、新自由主義の拠点になったのではないか、ということです。もはやいまのシティに、人文主義的なジェントルマンの姿を求める人はいないでしょう。だから、そこは、読者のみなさんと私のこれからの課題かと思います。

いずれにせよ、「世界で最初の工業国家」としてのイギリスの勃興と、二〇世紀後半に到来した「イギリスの衰退」とは、同時にこれを見るのでなければ、歴史の説明としては、あまり有効でないでしょう。反対に、この二つの現象を同時に見ていくことは、日本人にとっては、格別の意味があると思います。「高度成長」と「日本の奇蹟」を生みだしながら、「失われた一〇年」どころか、二〇年をこえる経済不振に悩まされている現代の日本は、イギリスが近世いらい数百年にわたって経験したことを、さまざまな条件はむろんちがうのですが、ごく短い期間に追体験してきたようなところもあるからです。この本が、歴史を単語の暗記などではなく、大づかみにとらえる見方の一例となれば幸いです。

さらに学びたい人のために

第一章

・川北稔『洒落者たちのイギリス史——騎士の国から紳士の国へ』平凡社ライブラリー、一九九三年

・同『民衆の大英帝国——近世イギリス社会とアメリカ移民』岩波現代文庫、二〇〇八年

・同「イギリス近世都市の成立と崩壊——リヴァプールを中心に」、中村賢二郎編『都市の社会史』ミネルヴァ書房、一九八三年

・同「イギリス近世の高齢者と寡婦——『救貧パラノイア』の前提」、前川和也編著『家族・世帯・家門——工業化以前の世界から』ミネルヴァ書房、一九九三年

・P・クラーク／P・スラック著、酒田利夫訳『変貌するイングランド——一五〇〇－一七〇〇年　都市タイプとダイナミックス』三嶺書房、一九八九年

・P・J・コーフィールド著、坂巻清・松塚俊三訳『イギリス都市の衝撃——一七〇〇－一八〇〇年』三嶺書房、一九八九年

・A・L・ベーア／R・フィンレイ編、川北稔訳『メトロポリス・ロンドンの成立——１５００年から１７００年まで』三嶺書房、一九九二年

・P・ラスレット著、川北稔・指昭博・山本正訳『われら失いし世界——近代イギリス社会史』三嶺書房、一九八六年

・Peter Borsay, *The English Urban Renaissance*, Oxford U.P., 1989

第二章

・I・ウォーラーステイン著、川北稔訳『新版・史的システムとしての資本主義』岩波書店、一九九七年
・川北稔「『政治算術』の世界」、大阪大学西洋史学研究室『パブリック・ヒストリー』創刊号、二〇〇四年

第三章

・I・ウォーラーステイン著、川北稔訳『近代世界システム1600−1750　重商主義と「ヨーロッパ世界経済」の凝集』名古屋大学出版会、一九九三年
・E・ウィリアムズ著、川北稔訳『コロンブスからカストロまで』I・II、岩波書店、二〇〇六年
・I・ウォーラーステイン著、川北稔訳『近代世界システム』I・II、岩波書店、二〇〇六年
・川北稔『工業化の歴史的前提——帝国とジェントルマン』岩波書店、一九八三年
・同『アメリカは誰のものか——ウェールズ王子マドックの神話』NTT出版、二〇〇一年
・濱下武志・川北稔著『地域の世界史11　支配の地域史』山川出版社、二〇〇〇年
・村岡健次・鈴木利章・川北稔編『ジェントルマン・その周辺とイギリス近代』ミネルヴァ書房、一九八七年（新装版、一九九五年）

第四章

・E・ウィリアムズ著、中山毅訳『資本主義と奴隷制——ニグロ史とイギリス経済史』理論社、一九八七年
・I・ウォーラーステイン著、川北稔訳『近代世界システム1730−1840s　大西洋革命の時代』名古屋大学出版会、一九九七年
・川北稔「産業革命と家庭生活」、角山榮編『講座西洋経済史II』同文舘出版、一九七九年

・同「ファッションとスラム――十九世紀ロンドンにかんする一考察」、中村賢二郎編『歴史のなかの都市――続都市の社会史』ミネルヴァ書房、一九八六年
・同「近代世界と産業革命・市民革命――時代区分の指標として」、歴史学研究会編『現代歴史学の成果と課題――一九八〇－二〇〇〇年I　歴史学における方法的転回』青木書店、二〇〇二年
・同「輸入代替としての産業革命」、懐徳堂記念会編『世界史を書き直す・日本史を書き直す――阪大史学の挑戦』和泉書院、二〇〇八年
・S・D・チャップマン著、佐村明知訳『産業革命のなかの綿工業』晃洋書房、一九九〇年
・角山榮編『講座西洋経済史I　工業化の始動』同文舘出版、一九七九年
・C・ナーディネリ著、森本真美訳『子どもたちと産業革命』平凡社、一九九八年
・P・ハドソン著、大倉正雄訳『産業革命』未来社、一九九九年
・M. Berg, *Luxuary and Pleasure in Eighteenth-Century Britain*, Oxford U.P., 2005

第五章

・R・イングリッシュ／M・ケニー編著、川北稔訳『経済衰退の歴史学――イギリス衰退論争の諸相』ミネルヴァ書房、二〇〇八年
・A・ギャンブル著、都築忠七・小笠原欣幸訳『イギリス衰退一〇〇年史』みすず書房、一九八七年
・A・ローゼン著、川北稔訳『現代イギリス社会史　一九五〇－二〇〇〇』岩波書店、二〇〇五年
・M・J・ウィーナー著、原剛訳『英国産業精神の衰退――文化史的接近』勁草書房、一九八四年
・W・D・ルービンステイン著、藤井泰・平田雅博・村田邦夫・千石好郎訳『衰退しない大英帝国――その経済・文化・教育：1750－1990』晃洋書房、一九九七年

・P・J・ケイン／A・G・ホプキンズ著、竹内幸雄・秋田茂訳『ジェントルマン資本主義の帝国Ⅰ――創生と膨張1688―1914』名古屋大学出版会、一九九七年
・同著、木畑洋一・旦祐介訳『ジェントルマン資本主義の帝国Ⅱ――危機と解体1914―1990』名古屋大学出版会、一九九七年

N.D.C.233.05　268p　18cm
ISBN978-4-06-288070-1

講談社現代新書　2070

イギリス近《きん》代《だい》史《し》講《こう》義《ぎ》

二〇一〇年一〇月二〇日第一刷発行　二〇二四年三月一九日第一三刷発行

著者　川北《かわきた》　稔《みのる》　

発行者　森田浩章

発行所　株式会社講談社
東京都文京区音羽二丁目一二―二一　郵便番号一一二―八〇〇一

電話　〇三―五三九五―三五二一　編集（現代新書）
〇三―五三九五―四四一五　販売
〇三―五三九五―三六一五　業務

装幀者　中島英樹

印刷所　株式会社ＫＰＳプロダクツ

製本所　株式会社ＫＰＳプロダクツ

定価はカバーに表示してあります　Printed in Japan

「講談社現代新書」の刊行にあたって

教養は万人が身をもって養い創造すべきものであって、一部の専門家の占有物として、ただ一方的に人々の手もとに配布され伝達されうるものではありません。

しかし、不幸にしてわが国の現状では、教養の重要な養いとなるべき書物は、ほとんど講壇からの天下りや単なる解説に終始し、知識技術を真剣に希求する青少年・学生・一般民衆の根本的な疑問や興味は、けっして十分に答えられ、解きほぐされ、手引きされることがありません。万人の内奥から発した真正の教養への芽ばえが、こうして放置され、むなしく滅びさる運命にゆだねられているのです。

このことは、中・高校だけで教育をおわる人々の成長をはばんでいるだけでなく、大学に進んだり、インテリと目されたりする人々の精神力の健康さえもむしばみ、わが国の文化の実質をまことに脆弱なものにしています。単なる博識以上の根強い思索力・判断力、および確かな技術にささえられた教養を必要とする日本の将来にとって、これは真剣に憂慮されなければならない事態であるといわなければなりません。

わたしたちの「講談社現代新書」は、この事態の克服を意図して計画されたものです。これによってわたしたちは、講壇からの天下りでもなく、単なる解説書でもない、もっぱら万人の魂に生ずる初発的かつ根本的な問題をとらえ、掘り起こし、手引きし、しかも最新の知識への展望を万人に確立させる書物を、新しく世の中に送り出したいと念願しています。

わたしたちは、創業以来民衆を対象とする啓蒙の仕事に専心してきた講談社にとって、これこそもっともふさわしい課題であり、伝統ある出版社としての義務でもあると考えているのです。

一九六四年四月　野間省一

世界史Ⅰ

834 ユダヤ人——上田和夫
930 フリーメイソン——吉村正和
934 大英帝国——長島伸一
968 ローマはなぜ滅んだか　弓削達
1017 ハプスブルク家——江村洋
1019 動物裁判——池上俊一
1076 デパートを発明した夫婦　鹿島茂
1080 ユダヤ人とドイツ——大澤武男
1088 ヨーロッパ「近代」の終焉——山本雅男
1097 オスマン帝国——鈴木董
1151 ハプスブルク家の女たち　江村洋
1249 ヒトラーとユダヤ人　大澤武男
1252 ロスチャイルド家　横山三四郎
1282 戦うハプスブルク家　菊池良生
1283 イギリス王室物語——小林章夫
1321 聖書vs.世界史——岡崎勝世
1442 メディチ家——森田義之
1470 中世シチリア王国——高山博
1486 エリザベスⅠ世——青木道彦
1572 ユダヤ人とローマ帝国　大澤武男
1587 傭兵の二千年史——菊池良生
1664 新書ヨーロッパ史 中世篇　堀越孝一 編
1673 神聖ローマ帝国——菊池良生
1687 世界史とヨーロッパ　岡崎勝世
1705 魔女とカルトのドイツ史——浜本隆志
1712 宗教改革の真実——永田諒一
2005 カペー朝——佐藤賢一
2070 イギリス近代史講義——川北稔
2096 モーツァルトを「造った」男——小宮正安
2281 ヴァロワ朝——佐藤賢一
2316 ナチスの財宝——篠田航一
2318 ヒトラーとナチ・ドイツ　石田勇治
2442 ハプスブルク帝国——岩﨑周一

日本語・日本文化

105 タテ社会の人間関係 中根千枝
293 日本人の意識構造――会田雄次
444 出雲神話――松前健
1193 漢字の字源――阿辻哲次
1200 外国語としての日本語――佐々木瑞枝
1239 武士道とエロス――氏家幹人
1262 「世間」とは何か――阿部謹也
1432 江戸の性風俗――氏家幹人
1448 日本人のしつけは衰退したか――広田照幸
1738 大人のための文章教室 清水義範
1943 なぜ日本人は学ばなくなったのか――齋藤孝
1960 女装と日本人――三橋順子
2006 「空気」と「世間」――鴻上尚史
2013 日本語という外国語 荒川洋平
2067 日本料理の贅沢――神田裕行
2092 新書 沖縄読本――下川裕治 仲村清司 著・編
2127 ラーメンと愛国――速水健朗
2173 日本人のための日本語文法入門――原沢伊都夫
2200 漢字雑談――高島俊男
2233 ユーミンの罪――酒井順子
2304 アイヌ学入門――瀬川拓郎
2309 クール・ジャパン!? 鴻上尚史
2391 げんきな日本論――橋爪大三郎 大澤真幸
2419 京都のおねだん――大野裕之
2440 山本七平の思想――東谷暁

P